Mit Goethe durch das Jahr

EIN KALENDER FÜR DAS JAHR 1998

ARTEMIS & WINKLER

Diese 50. Folge des Goethekalenders steht unter dem Thema
Marianne von Willemer, Goethes Suleika

Auswahl, Anmerkungen und Quellenverzeichnis
von Effi Biedrzynski

Satz: Josefine Urban – KompetenzCenter, Düsseldorf
Druck und Bindung: Friedrich Pustet, Regensburg
Printed in Germany
ISBN 3-7608-4798-6 kt.
ISBN 3-7608-4898-2 Ld.

1 Neujahr

Alle Gesetze und Sittenregeln lassen sich auf eines zurückführen: Wahrheit.

2 Freitag

Es ist keine Kunst, eine Göttin zur Hexe, eine Jungfrau zur Hure zu machen; aber zur umgekehrten Operation: Würde zu geben den Verschmähten, wünschenswert zu machen das Verworfene, dazu gehört entweder Kunst oder Charakter.

3 Samstag

»Mancherlei hast du versäumet:
Statt zu handeln, hast geträumet,
Statt zu danken, hast geschwiegen,
Solltest wandern, bliebest liegen.«
Nein, ich habe nichts versäumet!
Wißt ihr denn, was ich geträumet?
Nun will ich zum Danke fliegen,
Nur mein Bündel bleibe liegen.

4 Sonntag

Die Gegenwart ists allein die wirkt, tröstet und erbaut!

5 Montag

Wer mit einem Talente zu einem Talente geboren ist, findet in demselben sein schönstes Dasein!

6 Dienstag

Es ist nichts jämmerlicher, als Leute unaufhörlich von Vernunft reden zu hören, mittlerweile sie allein nach Vorurteilen handeln.

7 Mittwoch

Ein lebendiger Geist erblickt in der ganzen Gotteswelt nichts als Wunder und heilige Gottesoffenbarung.

8 Donnerstag

Die hohe Kunst muß selbständig sein. Weder Frömmigkeit noch Patriotismus dienen hier zum Supplemente.

9 Freitag

Zu nehmen, zu geben des Glückes Gaben,
Wird immer ein groß Vergnügen sein.
Sich liebend an einander zu laben
Wird Paradieses Wonne sein.

10 Samstag

Zu allen Zeiten sind es die Individuen, welche für die Wissenschaft gewirkt, nicht das Zeitalter. Das Zeitalter war's, das den Sokrates durch Gift hinrichtete; das Zeitalter, das Huss verbrannte; die Zeitalter sind immer die gleichen geblieben.

11 Sonntag

Was in der Zeiten Bildersaal
Jemals ist trefflich gewesen,
Das wird immer einer einmal
Wieder auffrischen und lesen.

12 Montag

Die Menschen indignieren mich dann und wann; aber die Sachen finden mich immer entschlossen.

13 Dienstag

Vom heutgen Tag, von heutger Nacht
Verlange nichts,
Als was die gestrigen gebracht.

14 Mittwoch

Das Wahre kann bloß durch seine Geschichte erhoben und erhalten, das Falsche bloß durch seine Geschichte erniedrigt und zerstreut werden.

15 Donnerstag

Du mußt dich niemals mit Schwur vermessen:
Von dieser Speise will ich nicht essen.

16 Freitag

Sehr leicht zerstreut der Zufall, was er sammelt.

17 Samstag

In jeder Lebenslage wird eine bestimmte Tätigkeit von uns gefordert, und wir gelten nur für etwas, als wir den Bedürfnissen anderer auf eine regelmäßige und zuverlässige Weise entgegenkommen.

18 Sonntag
Löblich ist es, den tätigen Anteil eines jeden zu wekken.

19 Montag
Es ist sonderbar, welch ein wunderliches Bedenken man sich macht, Geld von Freunden anzunehmen, von denen man jede andere Gabe mit Dank und Freude empfängt.

20 Dienstag
»Man hat ein Schimpf-Lied auf dich gemacht;
Es hats ein böser Feind erdacht«
Laß sie's nur immer singen,
Denn es wird bald verklingen.

21 Mittwoch
Der Mensch kann und soll seine Eigenschaften weder ablegen noch verleugnen.

22 Donnerstag
Es ist der Betrachtung wert, daß die Gewohnheit sich vollkommen an die Stelle der Liebesleidenschaft setzen kann. Sie fordert nicht sowohl eine anmutige als bequeme Gegenwart, alsdann aber ist sie unüberwindlich.

23 Freitag
Jedes ausgesprochene Wort erregt den Gegensinn.

24 Samstag
Grenzenlose Lebenspein
Fast, fast erdrückt sie mich!
Das wollen alle Herren sein,
Und keiner ist Herr von sich.

25 Sonntag

Wen ein guter Geist besessen,
Hält sich das Gedächtnis rein;
Alles Übel ist vergessen,
Eingedenk der Lust zu sein!

26 Montag

Es kommt nicht aufs Denken, es kommt aufs Machen an. Das ist ein verwünschtes Ding, die Gegenstände hinzusetzen, daß sie so und nicht anders dastehen.

27 Dienstag

Vor zwei Dingen kann man sich nicht genug in acht nehmen: beschränkt man sich in seinem Fache, vor Starrsinn, tritt man heraus, vor Unzulänglichkeit.

28 Mittwoch

Leider ist selbst das kaum Vergangene für den Menschen selten belehrend.

29 Donnerstag

Für mich hab ich genug erworben,
Soviel auch Widerspruch sich regt;
Sie haben meine Gedanken verdorben
Und sagen, sie hätten mich widerlegt.

30 Freitag

Wird man nur darum älter, um wieder kindisch zu werden?

31 Samstag

Niemand bedenkt, daß uns Vernunft und ein tapferes Wollen gegeben sind, damit wir uns nicht allein vom Bösen, sondern auch vom Übermaß des Guten zurückhalten.

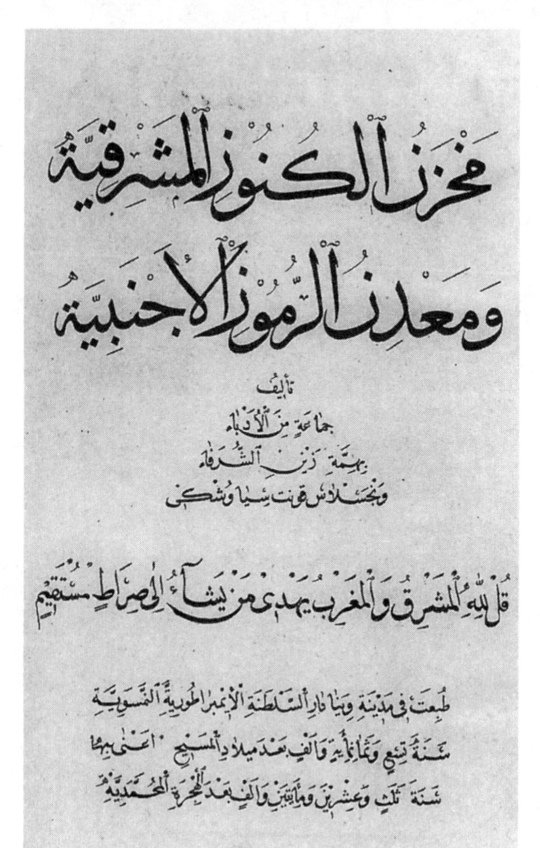
مخزن الكنوز المشرقية

ومعدن الرموز الاجنبية

تأليف

جماعة من الأدباء

بهمة زين الشرفاء

ونجسلاوس قونت سيا وشكي

قل لله المشرق والمغرب يهدي من يشاء الى صراط مستقيم

طبعت في مدينة ويانا دار السلطنة الأنمبراطورية النمسوية

سنة تسع وثمانماية والف بعد ميلاد المسيح اعني بها

سنة ثلث وعشرين ومائتين والف بعد الهجرة المحمدية

Frontispiz der »Fundgruben des Orients«

I. PRÄLUDIEN

GESTÄNDNIS

Was ist schwer zu verbergen? Das Feuer!
Denn bei Tage verrät's der Rauch,
Bei Nacht die Flamme, das Ungeheuer.
Ferner ist schwer zu verbergen auch
Die Liebe; noch so stille gehegt,
Sie doch gar leicht aus den Augen schlägt.
Am schwersten zu bergen ist ein Gedicht;
Man stellt es untern Scheffel nicht.
Hat es der Dichter frisch gesungen,
So ist er ganz davon durchdrungen,
Hat er es zierlich nett geschrieben,
Will er, die ganze Welt soll's lieben.
Er liest es jedem froh und laut,
Ob es uns quält, ob es erbaut.

Erfurt d. 27 May 1815

Goethe. Tag- und Jahreshefte 1813 – Hier muß ich noch [nach der Schlacht von Leipzig, im Oktober 1813 auch für Weimar Tage des Schreckens und der »rohen losgelassenen Gewalt«] einer Eigentümlichkeit meiner Handlungsweise gedenken. Wie sich in der politischen Welt irgendein ungeheures Bedrohliches hervortat, so warf ich mich eigensinnig auf das Entfernteste.
An Knebel, 10.11.1813 – Ich habe mir in dieser Zeit, mehr um mich zu zerstreuen als um etwas zu tun, gar mancherley vorgenommen, besonders habe ich China und was dazu gehört, fleißig durchstudiert...

Derartige Beschäftigungen mit den »asiatischen Weltanfängen« schlangen sich, wie Goethe im Januar 1812 an Rochlitz schrieb, seit langem durch sein Leben, seine Kultur, tingierten sein Denken, sein Dichten. – Im Winter 1772/73 hatte er »Mahomets-Gesang« geschrieben; kurz zuvor Suren des Koran, wenig später das »Hohe Lied« übersetzt, das für ihn nicht mehr »Heilsgeschichte« war, sondern Beispiel orientalischer Liebeslyrik, glühend von Weltlust und Sinnenglück. Ein Jahrzehnt später lebte er sich in die vorislamische Beduinendichtung ein, las die »Moallakat«, interessierte sich für Fabeln und Legenden rabbinischer, für Sprüche und Anekdoten persischer oder chinesischer Herkunft. Kalidasas »Sakuntala«, die »Gita-Govinda«, unbeholfen genug aus dem Indischen übertragen, entzückten ihn. 1797 untersuchte er, »patriarchalischen Überresten nachspürend«, kritisch die Bücher Mosis, deren Erzväter-Geschichten er dann in »Dichtung und Wahrheit« liebevoll-distanziert nacherzählt. – Durch die Jahrzehnte werden Bibellektüre, Bibelbenutzung fortgesetzt, die Resultate der gelehrten Orientalistik registriert, jeder Gast des Goethehauses, der zufällig den Orient aus eigener Anschauung kennt, wird eindringlich befragt. Die Reisebeschreibungen, meist imponierend schwerleibige Folianten und nahezu alle reich bebildert, sind zur Hand. Marco Polos »Milioni« voran; wichtig dann, für den Dichter des künftigen Divan, der noble Pietro della Valle, daneben der »treffliche« Olearius, auch der Holländer Olfert Dapper, auch die Engländer Sherley und Herbert oder Tavernier, ein Goldschmied aus Frankreich, oder dessen Landsmann Jean Chardin. – Das Material häuft sich, neue Namen und Begriffe, fremde Düfte und Bilder durchdringen die Phantasie.

Im Mai 1814 aber erreicht Goethe in zwei schmalen Bänden, von Cotta einer Sendung Goethescher Belegexemplaren beigepackt, eine Neuerscheinung des Verlags: »Der Diwan von Mohammed Schemsed-din Hafis. Aus dem Persischen zum erstenmal ganz übersetzt von Joseph v. Hammer, K. K. Rath und Hof-Dolmetsch«. – Die Lektüre dieser Gedicht-Sammlung, deren Beginn das Tagebuch bereits am 7. Juni vermerkt, kommt einer Initialzündung gleich. Ein Prozeß, ein Dialog setzt ein, charakterisiert vom raschen Wechsel zwischen Ernst, Heiterkeit und Ironie, ein Dialog von »skeptischer Beweglichkeit«, gleitend vom Derb-Tüchtigen zu leichtesten Flügelschlägen der Poesie.

Goethe. Tag- und Jahreshefte 1815 – Wenn ich früher den hier und da in Zeitschriften mitgeteilten *einzelnen* Stücken dieses herrlichen Poeten nichts abgewinnen konnte, so wirkten sie doch jetzt zusammen desto lebhafter auf mich ein, und ich mußte mich dagegen produktiv verhalten, weil ich sonst vor der mächtigen Erscheinung nicht hätte bestehen können. Die Einwirkung war so lebhaft, die deutsche Übersetzung lag vor, und ich mußte also hier Veranlassung finden zu eigener Teilnahme. Alles was dem Stoff und dem Sinne nach Ähnliches von mir verwahrt und gehegt worden war, tat sich hervor und das mit umso mehr Heftigkeit, als ich höchst nötig fühlte, mich aus der wirklichen Welt, die sich selbst offenbar und im stillen bedrohte, in eine ideelle zu flüchten, an welcher vergnüglichen Teil zu nehmen meiner Lust, Fähigkeit und Willen überlassen war.

Goethes Reisewagen

Goethe. Tag- und Jahreshefte 1815 – Indessen schien der politische Himmel sich im Frühsommer 1814 nach und nach aufzuklären, der Wunsch in die freie Welt, besonders aber ins freie Geburtsland, zu dem ich wieder Lust und Laune fassen konnte, drängte mich zur Reise.

An Christiane, Juli 1814 – Zuvörderst also muß ich die charmante Person loben, welche mich bewog, das Fahrhäuschen zu betreten. Bei der großen Hitze, dem Staub und dergleichen wäre ich sonst vergangen. – Den 25ten schrieb ich wieder viele Gedichte an Hafis, die meisten gut. Mittags im Mohren wars behaglich. Um sechs Uhr in Eisenach; regulierte mich selbst mit einer Kaltschale. – Den 26ten fünf Uhr von Eisenach. Herrlicher Duftmorgen um die Wartburg. Köstlicher Tag überhaupt. Um 6 Uhr zu Fulda, ließ mir erzählen und erquickte mich. – Den 27ten verließ ich Fulda beim heitersten Himmel. Bei Neuhof reifes Korn. Zwischen Schlüchtern und Saalmünster Flachs und Hanfbrechen durch Städtchen und Dörfer. Der erste Storch auf der Wiese und erstes Kornernten. Weiter nach Gelnhausen zu. Um sieben in Hanau. – Tagebuch, den 28ten Herrliche Abendbeleuchtung der Dörfer und Villen des linken Mainufers, fuhr ich zu Frankfurt ein. – Illumination wegen Ankunft Maj. des Königs von Preußen. Vors Tor die neuen Anlagen. Zuletzt ging ich an unserm alten Haus vorbei. Die Hausuhr schlug drinne. Es war ein sehr bekannter Ton ... Gar vieles war in der Stadt unverändert geblieben. – Zur Nachtzeit will ich auf Wiesbaden, der Mondschein begünstigt mich.

Die Rochus-Kapelle bei Bingen.
Stich von Himely nach Ch. Bodmer

Zu des Rheins gestreckten Hügeln,
Hochgesegneten Gebreiten,
Auen die den Fluß bespiegeln,
Weingeschmückten Landesweiten,
Möget mit Gedankenflügeln
Ihr den treuen Freund begleiten.

Was ich dort gelebt, genossen,
Was mir all dorther entsprossen.
Welche Freude, welche Kenntnis,
Wär ein allzulang Geständnis.
Mög' es jeden so erfreuen,
Die Erfahrenen, die Neuen!

Rhein und Main, 82 u. 83

FEBRUAR

1 Sonntag

»So widerstrebe! das wird dich adeln;
Willst vor der Feierstunde schon ruhn?«
Ich bin zu alt, um etwas zu tadeln,
Doch immer jung genug, etwas zu tun.

2 Montag

Nichts aber ist wünschenswerter, als die Verbreitung guten Willens.

3 Dienstag

Vergebens werden ungebundne Geister
nach der Vollendung reiner Höhe streben.
Wer Großes will, muß sich zusammenraffen!
In der Beschränkung zeigt sich erst der Meister,
und das Gesetz nur kann uns Freiheit geben!

4 Mittwoch

Die Kunst beschäftigt sich mit dem Schweren und Guten.

5 Donnerstag

Wenn doch der Mensch sich nicht vermessen wollte, etwas für die Zukunft zu versprechen! Das Geringste vermag er nicht zu halten, geschweige, wenn sein Vorsatz von Bedeutung ist.

6 Freitag

Wie gut ist es, vertraulich über seinen Zustand mit Freunden hin- und wiederreden!

7 Samstag

Wer sich nicht zuviel dünkt, ist viel mehr, als er glaubt.

8 Sonntag

Man könnte noch mehr, ja, das Unglaubliche tun, wenn man mäßiger wäre!

9 Montag

Einem Meinungen aufzwingen, ist schon grausam, aber von einem verlangen, er müsse empfinden, was er nicht empfinden kann, das ist tyrannischer Unsinn.

10 Dienstag

Wer Wissenschaft und Kunst besitzt,
Hat auch Religion;
Wer jene beiden nicht besitzt,
Der habe Religion.

11 Mittwoch

Kinder fühlen ein ganz eigenes Erstaunen und werden zu emsigen Untersuchungen angereizt, sobald ihnen etwas, das sie bisher unbedingt verehrt, einigermaßen verdächtig wird.

12 Donnerstag

Es ist ja in den Bergwerken auch nicht alles lauteres Metall, und man muß, um sich Raum zu machen, mitunter taubes Gestein ans Tageslicht bringen.

13 Freitag

Im Idealen kommt alles auf die élans, im Realen auf die Beharrlichkeit an.

14 Samstag

Befiehl und diene,
Dien und befehle!
Gegen jeden Tag
Muß man sich brüsten.

15 Sonntag

Ins Sichere willst du dich betten!
Ich liebe mir inneren Streit:
Denn, wenn wir die Zweifel nicht hätten,
Wo wäre denn frohe Gewißheit?

16 Montag

Wenn ein guter Mensch mit Talent begabt ist, so wird er zum Heil der Welt wirken, sei es als Künstler, Naturforscher, Dichter oder was sonst.

17 Dienstag,

Der Mensch muß, um frei zu sein, sich selbst beherrschen.

18 Mittwoch

Ach, Liebe, du wohl unsterblich bist!
Nicht kann Verrat und hämische List
Dein göttlich Leben töten.

19 Donnerstag

Das Gewissen bedarf keines Ahnherrn, mit ihm ist alles gegeben; es hat nur mit der innern eigenen Welt zu tun.

20 Freitag

Man frage nicht, ob man durchaus übereinstimmt, sondern ob man in einem Sinne verfährt.

21 Samstag

Gott hat die Gradheit selbst ans Herz genommen:
auf gradem Weg ist niemand umgekommen!

22 Sonntag

Freunde, bedenket euch wohl, die tiefere, kühnere Wahrheit laut zu sagen, sogleich stellt man sie euch auf den Kopf.

23 Rosenmontag

Man muß von den höchsten Maximen der Kunst und des Lebens in sich selbst nicht abweichen, auch nicht ein Haar, aber in der Empirie, in der Bewegung des Tages will ich lieber etwas Mittleres gelten lassen, als das Gute verkennen oder auch nur daran mäkeln.

24 Fastnacht

Das Absurde erfüllt eigentlich die Welt.

25 Aschermittwoch

Bringst du Geld, so findest du Gnade; sobald es dir mangelt, schließen die Türen sich zu.

26 Donnerstag

Was fruchtbar ist, allein ist wahr.

27 Freitag

Nur durch frische Tätigkeit sind Widerwärtigkeiten zu überwinden.

28 Samstag

Die Natur scheint alles auf Individualität angelegt zu haben und macht sich doch nichts aus Individuen. Sie baut immer und zerstört immer, und ihre Werkstätte ist unzugänglich.

Wiesbaden. Kolorierter Kupferstich. Um 1810

FLÜCHTIGE BEGEGNUNGEN

Goethe, Tagebuch, 29. 7. 1814 – Um sechse von Erfurt. Wenig Regen. Um elf in Wiesbaden. Zelter. Heiß. – Den 30ten Erste Einrichtung. Im weißen Adler. Gedichte an Hafis abgeschrieben. – Den 31ten Divan. Geordnet. – An Christiane, 7. 8. – Ich habe mein Quartier verändert und bewohne nun ein sehr angenehmes Zimmer im Bären. Das Bad bekommt mir sehr wohl. Zelter vermittelt mich der Gesellschaft ... Vor einigen Tagen besuchte mich Willemer mit seiner kleinen Gefährtin Dlle Jung. – Den 19ten Zuvörderst wirst du abermals gerühmt, mein liebes Kind, daß du mich in diese Gegend zu gehen bewogen. Erde, Himmel und Menschen sind anders, alles hat einen heitern Charakter und wird mir täglich wohltätiger ...

Tagebuch, 26. 8. – Mittag zu Hause. Geh. Rath Willemer.
An Riemer, 29.8. – Die Gedichte an Hafis sind auf 30 angewachsen und machen ein kleines Ganzes, das sich wohl ausdehnen kann, wenn der Humor wieder rege wird.
Tagebuch, 12. 9. – Von Wiesbaden nach Frankfurt. Bey Schlossers. – Den 15ten Bey Willemer. –
An Christiane, 18. 9 – Fuhr mit Mad. Brentano und Städel zu Willemer. Der Tag war höchst schön, der Wirt munter, Marianne wohl (das letzte Mal hatten wir sie nicht gesehen). Diesmal sahen wir die Sonne, auf einem Türmchen, das Willemer auf dem Mühlberg gebaut hat, untergehn. Die Aussicht ist ganz köstlich.
Rosette Städel. Tagebuch, 18. 9. – Welch ein Tag und welche Gefühle bewegen mich! Jetzt Goethe gesehen, den ich mir als einen schroffen, unzugänglichen Tyrannen gedacht, und in ihm ein liebenswürdiges, jedem Eindruck offenes Gemüt gefunden, einen Mann, den man kindlich lieben muß, dem man sich ganz vertrauen möchte. Und wie wenig imponiert seine Nähe, wie wohltätig freundlich kann man neben ihm stehen.
Goethe. Tagebuch, 23. 9. – Geh. Rath Willemer. –

Die Tage vom 24. 9.–11. 10. verbringt Goethe in Heidelberg bei Boisserée.

An Christiane, Frankfurt, 12. 10 – Abend zu Frau Geheimrätin Willemer, denn dieser unser würdiger Freund ist nunmehr *in forma* verheiratet. Sie ist so gut und freundlich wie vormals. Er war nicht zu Hause. –
Den 14ten Dann zu Geh. R. Willemer. Nur Frau Städel [Rosette, Willemers älteste Tochter und Mariannes treueste Freundin,] war bei Tische, Schlosser, ich und

Das Willemerhäuschen
am Sachsenhäuser Mühlberg
Fotografie 1932

das junge Ehepaar. Wir waren sehr lustig und blieben lange beisammen.

Tagebuch, 18. 10. – Mit Willemer auf den Mühlberg. Feuer der Berge und Höhen. Feier des Jahrestags der Völkerschlacht zu Leipzig. – Den 19ten Zu Tische bey Willemer. Die Stadt war aufs prächtigste illuminiert. – Den 20ten Besuche. Marianne... Eingepackt. Abgefahren um 2 Uhr.

S. Boisserée, 3. 10. 1815 – Bei hell kaltem Wetter unterwegs nach Karlsruhe. Wir sprachen von den hinter uns liegenden Tagen; davon, wie sich alles gedrängt, sprachen auch von Willemers, bei denen wir in der Gerbermühle, doch auch im Roten Männchen zu Frankfurt zu Gast gewesen waren, lobten die Frauen, Goethe bedauerte, daß Willemer mit seinem strebenden, unruhigen Geist sich nicht auf ein bestimmtes Fach, auf eine Liebhaberei geworfen habe. Die Verhältnisse mit Frauen allein könnten doch das Leben nicht ausfüllen und führten zu gar zu vielen Verwicklungen, Qualen und Leiden. Ein Wunder, meinte Goethe, daß Willemer nach allem, was er getrieben und erlebt, noch ein solcher Mann sei und solch ein Haus habe...

Willemer war Frankfurter, 1760 geboren und 1816 (nach einiger ehrgeiziger Drängelei) nobilitiert. Er tendierte zu Großzügigkeit und tolerantem Gewährenlassen, konnte aber auch schwierig sein und war oft seltsam verquer in Laune und Entschluß. – Arm sei er geboren, nichts habe er gelernt, schrieb er im Dezember 1808 Goethe, der jedoch übersah, daß dieses Lamento als Psychogramm beklagenswerter Labilität und nicht etwa als Resumée der realen Lebens-Situation des Geheimen Raths und Senators Willemer zu lesen war. – Willemer war Enkel, Neffe, Vetter langer Reihen lutheranischer Pastoren, war Sohn und Erbe eines erfolgreichen Bankmanns; führte selbst die Geschäfte, obwohl er glaubte, sie als ungeistig und darum zweitrangig verachten zu müssen, im großen Stil weiter. In kurzen Jahren hatte er, besonders bei der Unterbringung preußi-

Johann Jakob von Willemer. Nach einem Pastell von Anton Radl, 1819

scher Staatsanleihen, ein Vermögen zusammengebracht, das ihm in der Folge erlaubte, sich, von Ehrgeiz und Tatendrang gestachelt, neben seinen bunt gewürfelten schriftstellerischen Ambitionen, mit Elan in das politische Getriebe seiner Vaterstadt zu stürzen. 1790 trat er in das Bau- und Kastenamt des Senats ein; führte 1792 die äußerst brisanten Verhandlungen zwischen der Frankfurter Geheimen Kriegsdeputation und General Custine, der der alten Reichstadt am Main, die er 1792 im Handstreich genommen hatte und besetzt hielt, eine Kontribution in Höhe von zwei Millionen Gulden zu entreißen trachtete. – Zugleich förderte Willemer, entschieden inspiriert durch die Lektüre des Goetheschen »Wilhelm Meister«, mit dessen Titelfigur er sich gera-

dezu identifizierte, die Gründung des Theater-Aktien-Unternehmens und übernahm um 1800 willig leitende Funktionen innerhalb der Oberdirektion des Frankfurter-National-Theaters.

Ihn lockte und ihm schmeichelte die Vorstellung, Menschen nach Gesetzen einer Humanität und Vernunft, wie sie die zeitgenössische Aufklärung formulierte, lenken und Institutionen nach gleichen Idealen ummodeln und grundlegend reformieren zu können. Stieß er aber auf Widerspruch und Widerstand, zog er sich, unerfahren in den Querelen des politischen und kulturellen Geschäfts, beinahe sofort grollend zurück und ließ jäh fallen, was er eben noch heftig propagiert hatte. – Ein Praktiker wie Bankier Bethmann sprach verächtlich von dem Wankelmut und der Inkonsequenz des närrischen Willemer, Boisserée nannte ihn toll und konfus, Goethe aber, mit Willemer seit langem in familiär-lokkerem Kontakt, wies Boisserée auf »die Macht des sittlichen Prinzips hin, das diesen Mann allein in der Höhe gehalten habe«, und er bezeichnete unter anderem »die Rettung der kleinen, liebenswürdigen Frau«, deren anmutige Gastlichkeit sie beide gerade schönste Tage hindurch genossen hatten, betont als »ein großes sittliches Gut« …

Guten Ruf mußt du dir machen,
Unterscheiden wohl die Sachen;
Wer was weiter will, verdirbt.

Divan, Buch der Sprüche

Hermann Grimm. Goethe und Suleika, 1869 – Marianne begann in frühester Jugend mit der bewegtesten Existenz, die für eine Frau irgend geschaffen werden kann. Eine Stellung auf dem Theater macht ein Kind von siebzehn Jahren frei und selbständig, nötigt es moralisch und bürgerlich für sich zu sorgen, bringt es in ewig wechselnde aufregende Lagen und hält alle Fähigkeiten des Körpers und der Seele in stets sich erneuernder Spannung…

Ein Persönchen, zum Entzücken, muß sie gewesen sein, diese Demoiselle Jung, gerade vierzehn, rundlich und flink, mit dunklem Lockenschopf und weit geöffneten, graublauen, strahlenden Augen! Im November 1798 war sie mit der Mutter, zur Truppe des Ballettmeisters Traub gehörend, in Frankfurt aufgetaucht. Im Dezember stand sie bereits auf der Bühne: als Jugendliche Naive eingesetzt in kleinen, halbkindlichen Rollen. – »Ein unschuldig treu Kind«, sagte zärtlich verliebt Clemens Brentano, der 1799 zusah, wie sie (ein winziger Pierrot) in Morellis »Geburt des Harlekin«, dem Ei entschlüpfte und im zierlichsten Pas davon tanzte. – »Nicht wahr, das tut seinen Effekt!« rief die Rätin Goethe, die, Theaternärrin, die sie war, den jungen Poeten in das Theater verschleppt hatte.

Wir wissen wenig. Vieles, nahezu alles, bleibt im Dunkel, ist unverbürgt, bleibt ungewiß. – Wichtige Dokumente, das elterliche Trauzeugnis, Mariannes Taufschein, die Sterbeurkunde des Vaters fehlen, blieben auch unauffindbar, als Marianne, im September 1814,

Fächer aus Marianne von Willemers Besitz

bei ihrer Eheschließung mit Willemer dringend ihrer bedurfte. – Sie selbst, wohl am 20. November 1784 zu Linz an der Donau geboren, hat wenig über ihre Kindheit gesprochen. Matthias Jung, ein Instrumentenbauer, der früh starb, gilt als der Vater; die Mutter, eine geborene Pirngruber, aus guter oberösterreichischer Beamtenfamilie, war Schauspielerin. Glücklos, kaum talentiert, wechselte sie, die Tochter im Schlepptau, von den kleinen Provinztheatern in Preßburg, Ödenburg oder in Baden bei Wien zu drittrangigen Bühnen in Wien und Wiener Neustadt. – Im Frankfurter National-Theater aber fand sich für Elisabeth Jung keine Arbeit mehr. Sie war auf die winzigen Einkünfte der Tochter angewiesen, die zudem schon seit Jahren – nach Brentano eine äußerst geschickte »Kränzewinderin, Kronenbinderin, Sträußerkräuslerin« – zur Aufbesserung der

(Fortsetzung S. 34)

1 Sonntag

Das alles ist nicht mein Bereich –
Was soll ich mir viel Sorge machen?
Die Fische schwimmen glatt im Teich
Und kümmern sich nicht um den Nachen.

2 Montag

Einen, den man für vollkommmen gehalten hat und an einer Seite mangelhaft findet, beurteilt man nicht leicht mit Billigkeit.

3 Dienstag

Das Gewebe unseres Lebens und Wirkens bildet sich aus gar verschiedenen Fäden, indem sich Notwendiges und Zufälliges, Willkürliches und Rein-Gewolltes, jedes von verschiedener Art und kaum zu unterscheiden, durch einanderschränkt.

4 Mittwoch

Verschwiegenheit fordern, ist nicht das Mittel, sie zu erlangen.

5 Donnerstag

Wie sich der Mensch an ruhige Zustände gewöhnt und in denselben verharren mag, so gibt es auch eine Gewöhnung zum Unruhigen.

6 Freitag

Warum sollte man aber auch nicht des Versäumten gewahr werden, wenn des Gewonnenen und Genossenen so viel ist.

7 Samstag

Es ist ganz einerlei, vornehm oder gering: das Menschliche muß man immer ausbaden.

8 Sonntag

Sagt nur nichts halb:
Ergänzen, welche Pein!
Sagt nur nichts grob:
Das Wahre spricht sich rein.

9 Montag

Die Menschen treffen viel mehr zusammen in dem, was sie tun, als in dem, was sie denken.

10 Dienstag

Gute persönliche Verhältnisse sollte man ja nicht versäumen, von Zeit zu Zeit durch die Gegenwart wieder zu erneuern.

11 Mittwoch

Übereilung und Dünkel sind gefährliche Dämonen, die den Fähigsten unzulänglich machen, alle Wirkung zum Stocken bringen und freie Fortschritte lähmen.

12 Donnerstag

Habe deine Zwecke im Ganzen vor Augen und lasse dich im Einzelnen durch die Umstände bestimmen.

13 Freitag

Wer sein Leben mit einem Geschäft zubringt, dessen Undankbarkeit er zuletzt einsieht, der haßt es und kann es doch nicht los werden.

14 Samstag

Es bildet ein Talent sich in der Stille,
Sich ein Charakter in dem Strom der Welt.

15 Sonntag

Zwischen heut und morgen
liegt eine lange Frist:
lerne schnell besorgen,
da du noch munter bist!

16 Montag

Sage mir, mit wem du umgehst, so sage ich dir, wer du bist; weiß ich, womit du dich beschäftigst, so weiß ich, was aus dir werden kann.

17 Dienstag

Der Mensch ist ein einfaches Wesen. Und wie unergründlich er auch sein mag, so ist doch der Kreis seiner Zustände bald durchlaufen.

18 Mittwoch

Man muß etwas sein, um etwas zu machen.

19 Donnerstag

Jeder, der keine Anlage hat, das Beste zu leisten, sollte sich der Kunst enthalten und sich vor jeder Verführung dazu ernstlich in Acht nehmen.

20 Freitag · Frühlingsanfang

Mit seltsamen Gebärden
Gibt man sich viele Pein,
Kein Mensch will etwas werden,
Ein jeder will schon was sein.

21 Samstag

Es ist eine so angenehme Empfindung, sich mit etwas zu beschäftigen, was man nur halb kann, und niemand sollte den Dilettanten schelten, wenn er sich mit einer Kunst abgibt, die er nie lernen wird.

22 Sonntag. Goethes Todestag (1832)

Ja, wer hat, wenn du willst, Götter gebildet, uns zu ihnen erhoben, sie zu uns herniedergebracht, als der Dichter?

23 Montag

Wer den Geist der Gierigkeit hat, lebt nur in Sorgen, niemand sättiget ihn.

24 Dienstag

Je näher wir der Natur sind, je näher fühlen wir uns der Gottheit, und unser Herz fließt unaussprechlich in Freuden über.

25 Mittwoch

Überzeugung soll mir niemand rauben;
Wers besser weiß, der mag es glauben.

26 Donnerstag

Aus der Ferne ist schwer raten.

27 Freitag

Man mag nicht mit jedem leben; und so kann man auch nicht für jeden leben. Wer das recht einsieht, wird seine Freunde höchlich zu schätzen wissen, seine Feinde nicht hassen noch verfolgen. Vielmehr erlangt der Mensch nicht leicht einen größeren Vorteil, als wenn er die Vorzüge seiner Widersacher gewahr wird: dies gibt ihm ein entschiedenes Übergewicht über sie.

28 Samstag

Kirschkerne wird niemand kauen;
Man kann sie verschlucken, doch nicht verdauen.

29 Sonntag

Der Mann bedarf der Geduld, er bedarf auch des reinen, immer gleichen, ruhigen Sinns und des graden Verstandes.

30 Montag

Das liebe, allerliebste gegenwärtige Publikum meint immer: das, was man ihm vorsetzt, müßten jedesmal warme Kräppel aus der Pfanne sein. Es hat keinen Begriff, daß man sich zu jedem Neuen und wahrhaft Alt-Neuen erst wieder zu bilden habe.

31 Dienstag

Das Schlimmste, was uns widerfährt,
Das werden wir vom Tag gelehrt.
Wer in dem Gestern Heute sah,
Dem geht das Heute nicht allzunah,
Und wer im Heute sieht das Morgen,
Der wird sich rühren, wird nicht sorgen.

mütterlichen Kasse stickte und kläubelte. – Eine klägliche Existenz, ohne Zukunft und Behagen.

Geheimrat Willemer aber, ein Mann der überraschenden Entschlüsse, holte, aus welchen Motiven auch immer, im Frühjahr 1800 die kleine Tänzerin in sein bürgerlich gepflegtes Haus. Er gesellte sie seinen Kindern (vier Töchtern, einem Sohn) zu, die ihm, bereits zweimal verwitwet, aus zwei Ehen geblieben waren. – Vielleicht hatte ihn Marianne in ihrer hilflosen Kindlichkeit gerührt, vielleicht reizte ihn, den Verehrer Pestalozzis, das pädagogische Experiment, vielleicht war er aber auch, wie die Freunde und Freundinnen mokant anmerkten, ähnlich dem jungen Brentano, dem Liebreiz der kleinen Demoiselle verfallen. – Die Mutter, abgefunden mit 2000 Goldgulden und der Zusicherung einer Rente auf Lebenszeit, kehrte (wahrscheinlich befreit aufatmend) ins heimische Linz zurück.
Die Tochter aber, fremd in der Fremde, mußte bleiben. Niemand hatte sie gefragt. Eine radikale Entwurzelung, die aber, wie Christoph Perels, genauer und klugeinfühlsamer Kenner der »Mariannen-Problematik«, meint, das junge Geschöpf nicht im Kern verletzt hat. Lautlos, ohne Aplomb glitt sie jedenfalls in das neue Leben, paßte sich an, fügte sich ein, behauptete sich, wird Schwester, wird Freundin der Kinder des Hauses, teilt deren Unterricht, entwickelt, von guten Lehrern geführt, die eigenen Fähigkeiten und Talente. Ihre Stimme wird geschult; die Guitarre, das Klavier meistert sie und verfügt – zumindest im erhöhten Augenblick über das dichterisch erhöhte Wort, wird, wie Perels betont, zur Könnerin, der zwar die Bühne, der öffentliche Auftritt versagt ist, die aber anscheinend leichthin

Marianne von Willemer. Aquarell, um 1810.
Vermutlich nach einer Elfenbein-Miniatur
von Joseph Nicolas Peroux

und mit schöner Sicherheit ihren Platz in der Geselligkeit der privaten Zirkel, der Familien- und Freundeskreise, wie der Schlosser, der Guaitas oder der Brentanos, findet. – Perels erinnert an Mariannes Herkunft aus der liberalen Katholizität des josefinisch-aufgeklärten Österreich, erinnert aber auch an ihre Kinder- und Jugendjahre, verbracht in der läßlichen Atmosphäre des Theaterbetriebs. – Rokoko-Charme, doch auch Biedermeier-Heimeligkeit färben das Vergnügen am bunten Scherz, färben die halb gespielte, halb angeborene Naivität, erhöhen den Willen, die Widrigkeiten des Daseins, wenn möglich, liebenswürdig und heiter zu umgehen.

»DIE LIEBE KLEINE«

Zu den Kleinen zähl ich mich,
Liebe Kleine nennst du mich.
Willst Du immer so mich heißen,
Werd ich stets mich glücklich preisen,
Bleibe gern mein Leben lang
Lang wie breit und breit wie lang.

Als den Größten kennt man Dich,
Als den Besten ehrt man Dich,
Sieht man Dich, muß man Dich lieben,
Wärst Du nur bey uns geblieben,
Ohne Dich scheint uns die Zeit
Breit wie lang und lang wie breit.

Ins Gedächtnis prägt ich Dich,
In dem Herzen trag ich Dich,
Nun möcht ich der Gnade Gaben
Auch noch gern im Stammbuch haben,
Wärs auch nur den alten Sang:
Lang wie breit und breit wie lang.

Doch in Demut schweige ich,
Des Gedichts erbarme Dich,
Geh o Herr nicht ins Gerichte
Mit dem ungereimten Wichte,
Find es aus Barmherzigkeit
Breit wie lang und lang wie breit.

In Goethes Stammbuch geschrieben
Frankfurt a. M., den 12. Oktober 1814

Marianne Willemer geb. Jung

Jakob Willemer an Goethe, 12. 12. 1814 – Meine Frau will, seitdem sie von Ihnen die Kleine genannt worden, durchaus nicht mehr wachsen, es wäre denn in Ihrem Herzen. Ich kann ihr nicht Unrecht geben; denn wenn auch in der Philosophie vieles lang wie breit und breit wie lang ist [wie Goethe zu sagen pflegte], so ist es doch nicht einerlei, Ihrer Güte gewürdigt worden zu sein, Sie zu kennen oder nicht zu kennen. – Leben Sie wohl und lassen Ihrer Liebe mich und die Kleine stets empfohlen sein...

Goethe an Jakob Willemer, 14. 12. 1814 – Daß ich der lieben Kleinen noch ein Blättchen schuldig bin, habe ich nicht vergessen, und ich hege diese Schuld gleichsam als Denkmal meiner übrigen Schulden. Ein guter Augenblick gibt mir bald, hoff ich, den Mut, einen Teil abzutragen.

Reicher Blumen goldne Ranken
Sind des Liedes würdge Schranken,
Goldneres hab ich genossen,
Als ich euch ins Herz geschlossen.

Goldner glänzten stille Fluten
Von der Abendsonne Gluten,
Goldner blinkte Wein, zum Schalle
Glockenähnlicher Kristalle.

Weisen Freundes goldne Worte
Lispelten am Schattenorte,
Edler Kinder treu Bekenntnis,
Elterliches Einverständnis.

Goldnes Netz, das euch umwunden
Wer will seinen Wert erkunden?

Wie dem heilgen Stein der Alten
Muß sich Golde Gold entfalten.

Und so bringt vom fernen Orte
Dieses Blatt euch goldne Worte,
Wenn die Lettern, schwarz gebildet,
Liebevoll der Blick vergüldet.

Weimar März 1815 Goethe

Möge die Verspätung des beykommenden Gedichts durch die Erklärung entschuldigt werden: daß es lange auf dem Papier stand, ehe die Einfassung, die bunten Arabesken, ohne die es nichts bedeutete, hinzugefügt werden konnte.
Unter Glas und Rahmen wünschte ich das Blättchen an Ihrer Wand zu wissen, damit Sie meiner in guter Stunde eingedenk sein mögen. Um baldige Nachricht der Ankunft bittend. – Herzlich-verbunden

W.d. 26. April 1815 Goethe

Hermann Grimm, Herbst 1850 – Da hing, dicht neben der Eingangstür zu Marianne Willemers Wohnzimmer, groß gerahmt, ein prachtvolles Blatt: ein Gedicht von Goethes Hand in sorgfältiger lateinischer Schrift, ein voller Rand aus bunt und goldgemalten Arabesken darum...

Mariannes muntere Verse und Goethes Replik – ein erster Ballwechsel, gesellig-heiter, Reflex der heiteren Oktobertage, Reflex erster fröhlicher Begegnungen. – Noch nicht Divan, noch nicht Suleika! »Die Kleine« jedoch eine Rolle, Marianne, dem Figürchen, auf den Leib geschrieben und von Goethe, dem die »Kleinen«, die artigen Frauen überaus gefielen, sofort akzeptiert.

Art und Entwicklung der Beziehung zwischen der kleinen Tänzerin, gerade 16, und dem Geheimrat mit seinen runden vierzig Jahren, bleiben fast ganz im Dunklen. Die Nachrichten sind spärlich und widersprüchlich. – Wütend, im eifersüchtigen Zorn, schreibt Clemens Brentano im Mai 1803, der Bankier Willemer habe die Tänzerin von der Bühne genommen und zu seinem Pflegekind gemacht: seiner »Maitresse« fügt er giftig, in Parenthese, hinzu. – Dagegen erklärt Willemer in dem Rechenschaftsbericht für Goethe vom 11.12. 1808, seine Zukunft sei an eine törichte Hoffnung (die nur Marianne gegolten haben kann) verspielt, »von der eine achtjährige Erfahrung ihn nicht belehrt habe, daß sie nie in Erfüllung gehen werde.« – Johann Jacob de Lose aber beschriftet nur ein Jahr später die Rückseite des schönen Pastells, das eine sicher in sich ruhende, attraktive junge Frau zeigt, mit »Frau Geheimräthin Willemer, gemalt 1809«. – Doch 1810/11 in Yverdon, in Italien, bequem und elegant in Willemers Wagen unterwegs, ist Marianne, wie Pestalozzi schreibt: »Mademoisselle Joung«, und Goethes Tagebuch vermerkt noch am 4. 8. 1814 in Wiesbaden den Besuch von »Geh. R. Willemer. Dlle Jung«. – Erst am 12. Oktober berichtet er Christiane, den Abend habe er bei »Frau Geheimerätin Willemer« verbracht und fügt hinzu, daß Freund Willemer nun in forma verheiratet sei. – Ohne kluge Vorbereitung, die notwendig gewesen wäre, um sich und Marianne Peinlichkeiten zu ersparen, hatte Willemer in jäher Hast seine Verbindung mit Marianne legitimiert.

»Frankfurt von der Gerbermühle aus gesehen«.
Bleistift mit Tusche von Anton Radl, 1816

Aus den Akten des Frankfurter Stadtarchivs – Am Dienstag, 27. September 1814, erschienen im lutherischen Konsistorium vor dessen Direktor Stadtschultheiß Friedrich Maximilian v. Günderode der Frankfurter Bürger und königlich preußische Geheimrat Johann Jakob Willemer, lutherischer Religion, und mit ihm Jungfer Maria Anna Katharina Theresia, Herrn Matthias Jung und dessen noch lebender Ehegattin Elisabeth Jung, eheliche Tochter, geboren zu Linz am 20. November 1784, katholischer Religion. Sie erklärten zu Protokoll, daß sie sich zu ehelichen gesonnen seien und daher um den nötigen Kopulationsschein gebeten haben wollten… Die Jungfer Braut erklärte, daß sie ihren Taufschein, desgleichen den Todesschein ihres Vaters und den Konsens ihrer Mutter noch nachbringen wolle, welches um

(Fortsetzung S. 46)

1 Mittwoch

Endlich fasse dir ein Herz
Und begreifs geschwinder:
Lachen, Weinen, Lust und Schmerz
Sind Geschwisterkinder.

2 Donnerstag

Die Willkür des Genies läßt sich gar nicht bestimmen und abmessen. Genie kann im Schönen und Vollkommenen verbleiben oder darüber hinausgehen ins Absurde.

3 Freitag

Selbst die gemeinste Chronik bringt ja notwendig etwas von dem Geiste der Zeit mit, in der sie geschrieben wurde.

4 Samstag

Ein Quidam sagt: »Ich bin von keiner Schule;
Kein Meister lebt, mit dem ich buhle;
Auch bin ich weit davon entfernt,
Daß ich von Toten was gelernt.«
Das heißt, wenn ich ihn recht verstand:
Ich bin ein Narr auf eigne Hand.

5 Palmsonntag

Viel ist, gar viel mit Worten auszurichten,
Wir zeigen dies im Reden wie im Dichten.

6 Montag

Setzten wir uns an die Stelle anderer Personen, so würden Eifersucht und Haß wegfallen, die wir so oft gegen sie empfinden; und setzten wir andere an unsere Stelle, so würden Stolz und Einbildung gar sehr abnehmen.

7 Dienstag

Der Komponist wird bei dem Enthusiasmus seiner melodischen Arbeiten den Generalbaß, der Dichter das Silbenmaß nicht vergessen.

8 Mittwoch

Das Verhältnis zu dem, was man liebt, ist so entschieden, daß die Umgebung wenig sagen will; aber daß es die gehörige, natürliche, gewohnte Umgebung sei, das verlangt das Gemüt.

9 Gründonnerstag

Es ist der Fehler derjenigen, die manches, ja viel vermögen, daß sie sich alles zutrauen, und die Jugend muß sogar in diesem Falle sein, damit nur etwas aus ihr werde.

10 Karfreitag

Wenn ein gutes Wort eine gute Statt findet, so findet ein frommes Wort gewiß noch eine bessere.

11 Karsamstag · Passah Anfang

Ob ich Irdsches denk und sinne,
Das gereicht zu höherem Gewinne.
Mit dem Staube nicht der Geist zerstoben,
Dringet, in sich selbst gedrängt, nach oben.

12 Ostersonntag

Das Werdende, das ewig wirkt und lebt,
Umfaß euch mit der Liebe holden Schranken,
Und was in schwankender Erscheinung schwebt,
Befestiget mit dauernden Gedanken!

13 Ostermontag

Man kann die Nützlichkeit einer Idee anerkennen und doch nicht recht verstehen, sie vollkommen zu nutzen.

14 Dienstag

Durch Wunder nur sind Wunder zu erlangen.

15 Mittwoch

Der Menschenverstand, der eigentlich aufs Praktische hingewiesen ist, irrt nur, wenn er sich an die Auflösung höherer Probleme wagt; dagegen weiß aber auch eine höhere Theorie sich selten in den Kreis zu finden, wo jener wirkt und west.

16 Donnerstag

Alles, was den einen Menschen interessiert, wird auch in dem andern einen Anklang finden.

17 Freitag

»Sei nicht ungeduldig, wenn man deine Argumente nicht gelten läßt.«

18 Samstag · Passah Ende

Genügsamkeit und tägliches Behagen
Und guten Mut, das Übel zu verjagen,
Mit einem Freund, an einer Liebsten froh –
Der Größt und Kleinste wünscht es immer so.

19 Sonntag

Gebt mir zu tun,
Das sind reiche Gaben!
Das Herz kann nicht ruhn,
Will zu schaffen haben.

20 Montag

Gesinnungen sind selten liberal, weil sie unmittelbar aus der Person, ihren Beziehungen und Bedürfnissen hervorgehn.

21 Dienstag

Nichts leichter als dem Dürftigen schmeicheln;
Wer mag aber ohne Vorteil heucheln?

22 Mittwoch

In Gesellschaft nimmt man vom Herzen den Schlüssel ab und steckt ihn in die Tasche; die, welche ihn stecken lassen, sind Dummköpfe.

23 Donnerstag

Es ist besser, daß Ungerechtigkeiten geschehn, als daß sie auf eine ungerechte Weise gehoben werden.

24 Freitag

Nur die gegenwärtige Wissenschaft gehört uns an, nicht die vergangene noch die zukünftige.

25 Samstag

Oft, wenn dir jeder Trost entflieht,
Mußt du im stillen dich bequemen.
Nur dann, wenn dir Gewalt geschieht,
Wird die Menge an dir Anteil nehmen;
Ums Unrecht, das dir widerfährt,
Kein Mensch den Blick zur Seite kehrt.

26 Sonntag

»Hat man das Gute dir erwidert?«
Mein Pfeil flog ab, sehr schön befiedert;
Der ganze Himmel stand ihm offen,
Er hat wohl irgendwo getroffen.

27 Montag

Dies Herrliche hat die Wahrheit, wo sie auch erscheine, daß sie uns Blick und Brust öffnet und uns ermutigt, auch in dem Felde, wo wir zu wirken haben, auf gleiche Weise umher zu schauen und zu erneutem Glauben frischen Atem zu schöpfen.

28 Dienstag

Wir sind naturforschend Pantheisten, dichtend Polytheisten, sittlich Monotheisten.

29 Mittwoch

Doch was der Mensch auch ergreife und handhabe, der einzelne ist sich nicht hinreichend, Gesellschaft bleibt eines wackern Mannes höchstes Bedürfnis.

30 Donnerstag

»Wer will der Menge widerstehn?«
Ich widerstreb ihr nicht, ich laß sie gehn.
Sie schwebt und webt und schwankt und schwirrt,
Bis sie endlich wieder Einheit wird.

deswillen nicht sogleich geschehen könne, da sich ihre Mutter in Linz aufhalte. – Eine vorhabende Reise nach Wien hätte den Wunsch in ihnen erzeugt, diese eheliche Verbindung ohne alle Umstände und ohne Aufgebot sobald als möglich vollziehen zu können, wobei sie sich zugleich verbindlich machten, alles dasjenige zu befolgen, was die hiesigen Gesetze und Gewohnheiten in dieser Hinsicht mit sich brächten. – Hierauf erteilte der Konsistorialdirektor v. Günderrode, ›bewandten Umständen nach‹, die erbetene Dispensation vom Aufgebot und die Erlaubnis zur Privattrauung gegen eine Abgabe von 50 Reichstalern an den Bürgerlichen Almosenkasten. – Noch am gleichen Tag wurde das Paar durch Pfarrer Kirchner getraut.

Das Bürgerrecht aber, um das Willemer bereits am nächsten Tag ›bei hochpreislichem Senat‹ nachsuchte, wurde, da die nötigen Dokumente auch nach Jahresfrist und wiederholter Mahnung der Behörde, nicht beizubringen waren, Marianne vorenthalten. Sie blieb, nach Christoph Perels' Überzeugung, eine der eindrucksvollsten und zugleich liebenswürdigsten Frauengestalten der deutschen Literaturgeschichte zwischen Rokoko und Biedermeier, in Frankfurt, wo sie sechzig Jahre ihres Lebens verbracht hat, »Ausländerin«.

Goethe. Öl auf Holz von Karl Joseph Raabe, 1814
»Vom Dichter und Maler den Drillingsfreunden von Coelln (den Brüdern Boisserée und Bapt. Bertram) gewidmet«

Der Abgebildete
Vergleicht sich billig
Heilgem Dreikönige,
Dieweil er willig
Dem Stern, der ostenher
Wahrhaft erschienen,
Auf allen Wegen war
Bereit zu dienen...

Weimar am Christfeste 1814

DER DIVAN WÄCHST

Goethe an Zelter, 27. 12. 1814 – Hafis hat mich fleißig besucht, und da ist denn manches entstanden, das dir in Zukunft liebliche Melodien ablocken soll.
An Knebel, 11. 1. 1815 – Die Gedichte aus dem Divan, denen du deinen Beifall schenktest, sind unterdessen wohl aufs Doppelte angewachsen.
An Christian Heinrich Schlosser, 23. 1. 1815 – Ich habe mich nämlich, mit aller Gewalt und allen Vermögen, nach dem Orient geworfen und mich in die Gesellschaft der persischen Dichter begeben und ihren Scherz und Ernst nachgebildet... Wenig fehlt, daß ich noch Arabisch lerne, wenigstens so viel will ich mich in den Schreibezügen üben, daß ich die Amulette, Talismane, Abraxas und Siegel in der Urschrift nachbilden kann. In keiner Sprache ist vielleicht Geist, Wort und Schrift so uranfänglich zusammengekörpert.
Charlotte von Schiller, 22. 2. 1815 – Wir waren bei der Herzogin mit Goethe. Sein Umgang mit dem Orient lehrt uns diese wunderliche Welt kennen.
Goethe an Boisserée, 2. 1. 1815 – Indessen muß ich manchmal lächeln, wenn, in meiner heidnisch-mahometanischen Umgebung, das »Schweißtuch der Veronika« als Panier weht. Täglich wird eine Perikope aus dem Homer und dem Hafis gelesen, wie denn die persischen Dichter gegenwärtig an der Tagesordnung sind. Erscheint dann dazwischen der Moskowitische Ikonenkalender, so nimmt sichs freilich bunt genug aus, und es bleibt nichts übrig als zu rufen:

Saadi. Ghaselen und Vierzeiler.
Persische Handschrift, 1530

Gottes ist der Orient!
Gottes ist der Okzident!
Nord- und südliches Gelände
Ruht im Frieden seiner Hände.

Und so will ich denn mit dieser frommen Betrachtung und dem herzlichen Wunsche schließen, daß wir uns dieses Jahr gesund und froh wiederfinden mögen. Unwandelbar teilnehmend –

Weimar, den 2. Jänner 1815 *Goethe*

Goethe an J. J. Willemer, 3. 4. 1815 – Ich habe viel gelitten, meine gute Frau war zwey Querfinger vom Tode. Jetzt ist sie wieder auf den Beinen, da mich der schrecklichste Katharr seit vier Wochen heimsucht. – Werde ich denn wohl das alles, bey einem schönen Oberrader Sonnenuntergang hinter mich werfen und vergessen?

Willemer an Goethe, 10. 4. – Erholen Sie sich doch bald von den Beschwerden des Winters zu Weimar an den Ufern des Mains. Sie könnten ja die Vor-Cur zu Oberrad einleiten und bei uns auf der Mühle wohnen. – Meine Frau und ich würden nie eine größere Freude empfunden haben wie die, Sie bei uns zu sehen …

Goethe an Knebel, 23. 4. – An eine Badereise muß ich auch denken, obgleich niemand voraussehen kann, wozu und wohin man gelangen wird.

Goethe an Willemer, 24. 4. – Der April eilt zu Ende, in sechs Wochen sollt ich, von rechtswegen, schon wieder in Ihrer Nähe sein, indessen ist es gerade jetzt, wo jedermanns Verstand still steht [durch Napoleons Entweichen aus Elba erneut Kriegsgefahr!], wohl zu entschuldigen, wenn man mit Entschlüssen zaudert.

An Knebel, 10. 5. – Ungern verlasse ich gerade in dieser Jahreszeit meine Wohnung und wage mich hinaus in das Welt- und Badegetümmel, wo man wohl Heilung, aber keine Erquickung hoffen darf.

An Sartorius, 17. 5. – Ihren lieben Brief erhalte ich in dem Augenblick, als ich Ihnen zu schreiben vorhabe, und zu sagen, daß ich nach Wiesbaden gehe, um dort ein paar Wochen Bade-Cur wegzuhaschen. Ärzte, Freunde, ja, die fürstlichen Personen selbst, treiben mich fort, und ich gehorche diesem Winke, da ich sonst noch gezaudert hätte, denn wer möchte jetzt ohne die größte Not Geld und Zeit am Rhein vergeuden!

Goethe, Tagebuch 24. 5. 1815 – Um 5 Uhr aus Weimar. 7 1/2 in Erfurt. Um 11 in Gotha. Um 3 in Eisenach.

Goethe an Christiane, 24. 5. – Kund und zu wissen jedermann, den es zu wissen freut, daß mich unterwegs sogleich die guten Geister des Orients besucht und mancherlei Gutes eingegeben, wovon vielerlei auf das Papier gebracht wurde. Weiter über Vacha, Fulda nach Frankfurt. Den 27ten Mai von Frankfurt nach Wiesbaden. Durchaus ist alles gut gegangen. Hier habe ich grade das gewünschte Zimmer getroffen. Ich richte mich ein. Die Reise war nicht unfruchtbar. Mein Divan ist mit 18 Assessoren vermehrt. In Frankfurt habe ich niemand gesehen.

Goethe, Tagebuch, 29.5. – Brief an Geheimrat v. Willemer [wohl mit der Nachricht von Goethes Ankunft in Wiesbaden].

Willemer an Goethe, 1. 6. – Sie haben uns große Freude in das Haus gebracht durch Ihren Brief [verloren]. Die Kleine, Rosette und ich – gewiß, mein Freund, wenn auch viele Ihnen anhängen und Sie ehren, wir gehören zu denen, die es am treuesten meinen...

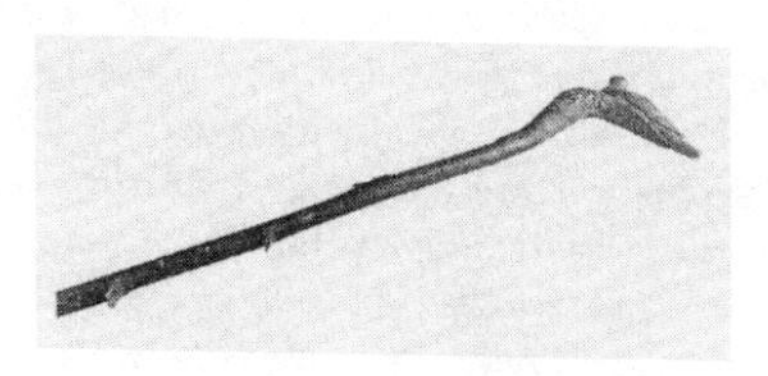

Spazierstock Goethes. Der Griff, ein geschnitzter Wiedehopf. Marianne von Willemers Geschenk

Ich suchte Sie noch im Schwanen auf, aber Sie waren fort. Verweilen Sie doch auf dem Rückweg bei uns, es ist gut hier wohnen, und es soll Ihnen weder im Kleinen noch im Großen etwas abgehen. – Erlauben Sie, daß ich von Frankfurt einen Abstecher nach Wiesbaden mache. Sie sollen dabei nur 10 Minuten verlieren... Lassen Sie mich Ihrer Liebe empfohlen sein, und auch die Kleine.
P.S. Gebrauchen Sie etwas – ich sende alles, was Sie verlangen, und sende es mit größerer Freude, als Sie es empfangen.
Goethe, Tagebuch, 3.7. – Mittag mit Willemer im Cursaal. Er fuhr weg nach Tische...
Goethe an Willemer, 7.8. – Endlich – nächsten Sonnabend, den 12., hoffe ich bei Ihnen anzuklopfen. Da aber manches Hindernis begegnen könnte, bitte nicht allzuentschieden meiner zu warten. Mehr nicht! Lassen Sie mir die Freude, mündlich auszusprechen, wie sehr ich Ihnen verbunden bin. Die schönsten Grüße den lieben Ihrigen.
Willemer an Goethe, 10.8. – Ich erwarte Sie, teurer Freund, nun jeden Tag – Ihr Zimmer ist provisorisch eingerichtet – alles alles durchaus, wie es Ihnen bequem ist.

Goethe nahm sich Zeit, sehr viel Zeit. Sichtlich eilte es ihm nicht, Willemers verlockender Aufforderung allzu rasch Folge zu leisten. – Gelassen vermerkt sein Terminkalender Tag um Tag: »Gebadet«, »dictirt«, »spazieren«; registriert sorgfältig das tägliche Arbeitspensum, die tägliche Lektüre, den Andrang der Besucher. Vermerkt aber auch reizvolle Einladungen, »völlig wie im Märchen«, zur Hoftafel in Bieberich oder nach

(Fortsetzung S. 59)

1 Freitag. Maifeiertag

Die Nachtigall, sie war entfernt,
Der Frühling lockt sie wieder;
Was Neues hat sie nicht gelernt,
Singt alte liebe Lieder.

2 Samstag

Wer die Natur als göttliches Organ leugnen will, der leugne nur gleich alle Offenbarung.

3 Sonntag

Fahrt nur fort nach eurer Weise
Die Welt zu überspinnen!
Ich in meinem lebendigen Kreise
Weiß das Leben zu gewinnen.

4 Montag

Was schmeckt und sättigt kommt vom guten Geiste.

5 Dienstag

Es ist besser, es geschehe dir unrecht, als die Welt sei ohne Gesetz. Deshalb füge sich jeder dem Gesetze.

6 Mittwoch

Der liebt nicht, der die Fehler des Geliebten nicht für Tugenden hält.

7 Donnerstag

War die Henne zuerst? oder war das Ei vor der Henne? Wer dies Rätsel erlöst, schlichtet den Streit um den Gott.

8 Freitag

Wer gelitten hat, hat das Recht frei zu sein.

9 Samstag

Sie möchten gerne frei sein.
Lange kann das einerlei sein;
Wo es aber drunter – und drübergeht,
Ein Heiliger wird angefleht;
Und wollen die alten uns nicht befreien,
So macht man sich behend einen neuen.
Im Schiffbruch jammert jedermann,
Daß keiner mehr als der andre kann.

10 Sonntag

Und frische Nahrung, neues Blut
Saug ich aus freier Welt;
Wie ist Natur so hold und gut,
Die mich am Busen hält.

11 Montag

Der Geist des Wirklichen ist das wahre Ideelle.

12 Dienstag

Sprichwort bezeichnet Nationen;
Mußt aber erst unter ihnen wohnen.

13 Mittwoch

Schwache passen an keinen Platz in der Welt, sie müßten denn Spitzbuben sein.

14 Donnerstag

Die Gestalt des Menschen ist der beste Text zu allem, was sich über ihn empfinden und sagen läßt.

15 Freitag

Den Menschen ist nur mit Gewalt oder List etwas abzugewinnen. Mit Liebe auch, aber das heißt, auf Sonnenschein warten, und das Leben braucht jede Minute.

16 Samstag

Was der eine will bereiten,
Einem andern will's nicht gelten;
Hüben, drüben muß man schelten:
Das ist nun der Geist der Zeiten.

17 Sonntag

Ei, was ich weiß, das brauch ich nicht zu glauben!
Der Mensch ist gar erbärmlich dran,
Und es steht nur dem Teufel an,
Ihm noch das bißchen Sicherheit zu rauben.

18 Montag

Idee und Erfahrung werden in der Mitte nie zusammentreffen, zu vereinigen sind sie nur durch Kunst und Tat.

19 Dienstag

Charakter im großen und kleinen ist, daß der Mensch demjenigen eine stete Folge gibt, dessen er sich fähig fühlt.

20 Mittwoch

Zerstreuung ist wie eine goldne Wolke, die den Menschen, wär es auch nur auf kurze Zeit, seinem Elend entrückt.

21 Donnerstag. Himmelfahrt

Gott, wenn wir hoch stehen, ist alles; stehen wir niedrig, so ist er ein Supplement unsrer Armseligkeit.

22 Freitag

Es ist so gewiß als wunderbar, daß Wahrheit und Irrtum aus einer Quelle entstehen; deswegen man oft dem Irrtum nicht schaden darf, weil man zugleich der Wahrheit schadet.

23 Samstag

Entzwei' und gebiete! Tüchtig Wort;
Verein' und leite! Beßrer Hort.

24 Sonntag

Nur wenn das Herz erschlossen,
Dann ist die Erde schön.
Du standest so verdrossen
Und wußtest nicht zu sehn.

25 Montag

Unsre Eigenschaften müssen wir kultivieren, nicht unsre Eigenheitn.

26 Dienstag

In jedem Künstler liegt ein Keim von Verwegenheit, ohne den kein Talent denkbar ist.

27 Mittwoch

Wäre es Gott darum zu tun gewesen, daß die Menschen in der Wahrheit leben und handeln sollten, so hätte er seine Einrichtung anders machen müssen.

28 Donnerstag

Nicht allein das Angeborene, sondern auch das Erworbene ist der Mensch.

29 Freitag

Es würde uns wenig von der Kunst übrig bleiben, wenn wir ausschließlich wollten, was sich nicht wie das tägliche Leben fassen und begreifen läßt.

30 Samstag

Konversations-Lexikon heißt's mit Recht,
Weil, wenn die Konversation ist schlecht,
Jedermann
Zur Konversation es nutzen kann.

31 Sonntag · Pfingsten · Jüdisches Wochenfest

Pfingsten, das liebliche Fest, war gekommen;
es grünten und blühten
Feld und Wald; auf Hügeln und Höhn,
in Büschen und Hecken
Übten ein fröhliches Lied die neuermunterten
Vögel;
Jede Wiese sproßte von Blumen in duftenden
Gründen,
Festlich heiter glänzte der Himmel und farbig
die Erde.

Schloß Johannisberg, oder die mineralogischen Studien mit Bergrat Cramer im nahen Taunus oder die viel beredete Fahrt nach Köln mit dem Reichsfreiherrn vom Stein: Der Aufbruch im Steinschen Wagen, hinter Ehrenbreitstein aber, wie das Tagebuch sagt, »rheinabwärts im Nachen fortgeschwommen«. In Köln dann die Besichtigung des »Doms in- und auswendig, oben und unten, mit allem Zubehör« und die Planung einer Denkschrift, die »Kunstschätze am Mayn und Rhein« betreffend. – Die Nachricht vom Sieg bei Waterloo erhöht und sichert das Badebehagen, die Verleihung des österreichischen Leopoldordens ist angenehme Zutat. – Gegengewicht aber dieses munter-zerstreuten Treibens ist die Arbeit am Divan, ist die nun schon seit Jahresfrist, in Strophe und Lied, in Betrachtung und Spruch, vorwärtsschreitende Entfaltung eines immer mehr Kontur gewinnenden poetischen Kosmos. – »Gedichte ins Reine«, notiert das Tagebuch oder »den Divan geordnet« oder »Divan-Register« oder auch »Fortsetzung am Divan«, auch »Divan nummeriert«, schließlich aufatmend »Divan Verzeichnis«. – Noch in Eisenach, zu Beginn der Reise, hatte der Dichter, wie das Wiesbadner Register festhält, mit der Verszeile »Da du nun Suleika heißest« das Liebchen seiner Divanwelt »benamst«, was Interpreten wie Hans Pyritz verführte, die poetische Figur mit der realen Person Marianne Willemer gleichzusetzen. – Suleika meint aber hier noch nicht Marianne. Die ist, wie in den vergnügten Oktobertagen vom Jahr zuvor, für Goethe noch immer »die liebe Kleine«, hin und wieder mit freundlich-flüchtigem Gruß bedacht, aber nicht die zur inspirierenden und inspirierten Mitte erhobene Geliebte des west-östlichen Zyklus.

EINLADUNG

Mußt nicht vor dem Tage fliehen:
Denn der Tag, den du ereilest,
Ist nicht besser als der heut'ge:
Aber wenn du froh verweilest,
Wo ich mir die Welt beseit'ge,
Um die Welt an mich zu ziehen,
Bist du gleich mit mir geborgen:
Heut ist heute, morgen morgen,
Und was folgt und was vergangen,
Reißt nicht hin und bleibt nicht hangen,
Bleibe du, mein Allerliebstes;
Denn du bringst es, und du gibst es.

Ich gedachte in der Nacht,
Daß ich den Mond sähe im Schlaf;
Als ich aber erwachte,
Ging unvermutet die Sonne auf.

Divan, Buch Suleika

Gerbermühle nach Anton Radl
(angeblich von Marianne Willemer)

MÜHLEN-ZEIT

Goethe an Fritz Schlosser, 8. 8. 1815 – Nichts angenehmeres konnte mir, bey meinem Abschied aus Wiesbaden, begegnen, als die abermalige Einladung in Ihren theuren Familienkreis ... Da es aber billig ist, daß, bey wiederholter Erscheinung in meiner Vaterstadt, sich die Wohlwollenden in die Einquartierungs-Last liebevoll teilen, so habe ich nicht angestanden, schon früher das Anerbieten von Herrn Geh. Rath Willemer anzunehmen, so ich denn zu Ende dieser Woche auf der wohlgelegenen Mühle einzutreffen und von da meine theuren Freunde fleißig zu besuchen hoffe.

Sulpiz Boisserée, Tagebuch, 12. 8. – Morgens um 7 Uhr brachen wir nach Frankfurt auf. Auf der Höhe von

Höchst still gehalten, schöne, prächtig reiche Aussicht! – In Frankfurt stieg ich im Schwanen ab. Goethe fuhr auf die Gerbermühle.

Goethe, Tagebuch, 12. 8. 1815 – Gegen Mittag Gerbermühle. Unterhaltung. Gesang. Gespräch. Gewitter. Abhaltung von allem Spaziergang. – Den 13ten Fortdauernd schlimmes Wetter.

Boisserée, Tagebuch, 14. 8. – Ebenso häßliches Wetter. Goethe kommt mit Willemer in den Schwan... Später fuhr ich mit ihm zurück zur Gerbermühle. Es war das zweite Mal, daß ich den Ort sah. Zuerst war ich im vorigen September dahin gefahren, Goethe zu treffen. Ein wahrer goldner Tag – heut ein Schmutztag.

Willemers Tochter Amalie beschreibt die Mühle 1868 – An der Ecke des Hauses, wo sich jetzt ein Altan erhebt, befand sich das Fenster des Zimmers, das Goethe bewohnte. Die drei nächsten sind die des »Gartensaals«, wo man aß und die größeren Gesellschaften stattfanden und auch Mariannens Klavier stand. Das fünfte Fenster gehörte ihrem Kabinett an. In dem kleinen Nebenbau waren die Fremdenzimmer, und dort hauste auch Boisserée, der in Herbstwochen intensiv an Goethes Denkschrift über die Kunstschätze an Main und Rhein mit arbeitete. – Das Goethesche Eckzimmer hat noch zwei Fenster nach Westen, wo sich der Blick auf Stadt, Strom und Gebirge, auf Wiese, Feld und Wald bietet. An diese Eckstube grenzt das Balkonzimmer, und daneben lag Herrn von Willemers Arbeitskabinett. – Diesen Balkon liebte Goethe sehr. Hier beobachtete er die Sonnenuntergänge über den Höhen des Feldberges. Die Farbenglut am Himmel und auf dem Wasser soll ihn stets an Neapel gemahnt haben. Nur dort habe er gesehen, daß die Farben sich so lange hielten, wie an dieser Mainstätte...

Hosenträger, Goethe im August 1821 von Marianne gestickt, »als Beweis, wie gern sie sich um ihn verdient machen möchte ...«

Goethe an Herzog Carl August, 3. 9. 1815 – Meinen stillen Betrachtungen kann ich hier im Angesicht des Mayns am stillsten Ort nachhängen, der bey heiterem Wetter wohl auch für den angenehmsten gelten kann. Es ist ein unmittelbar am Fluß gelegener, ländlicher Wohnsitz, welchen Geh. Rath Willemer auf seine Lebzeit gepachtet hat und nun die vor dreißig Jahren gepflanzten Bäume immerfort gen Himmel streben sieht.

Marianne von Willemer berichtet – Den Morgen brachte Goethe allein zu; den Mittag erschien er, auch wenn kein Besuch da war, im Frack; nachmittags liebte er gemeinsame Spaziergänge, besonders in den Wald, wo er voll Lust und Leben und sehr mitteilend war. Er führte immer ein großes Taschenmesser bei sich, womit er Zweige abschnitt, oder aus dem Boden ausschnitt, was ihm auffiel. Auf Anziehendes im Tier- und Pflanzenreiche machte er gern aufmerksam, besonders auch auf Licht- und Farberscheinungen, den Lichtschein um Bäume, die blauen Schatten, die Farben beim Sonnenuntergang. – Abends war er am liebenswürdigsten, besonders wenn er in seinem weißflanellenen Rock erschien und vorlas, meist aus seinem immer mehr heranwachsenden Divan. Von seinen älteren Sachen trug er weniger gern etwas vor. »Was wollt Ihr mit dem alten Zeug!« rief er. Sehr schön las er, wie er auch schön sprach. Aus seinem Munde glaubte man manches erst recht zu verstehen; leicht ward er selbst beim Lesen zu Tränen gerührt...

Sag du hast wohl viel gedichtet?
Hin und her dein Lied gerichtet? –
Schöngeschrieben, deine Hand,
Prachtgebunden, goldgerändet,
Bis auf Punkt und Strich vollendet,
Zierlich lockend manchen Band.
Stets wo du sie hingewendet
War's gewiß ein Liebespfand.

Ja! von mächtig holden Blicken,
Wie von lächelndem Entzücken
Und von Zähnen blendend klar.
Moschusduftend Lockenschlangen,
Augenwinpern reizumhangen,
Tausendfältige Gefahr!
Denke nun wie von so langem
Prophezeit Suleika war.

Divan. Buch Suleika

(Fortsetzung S. 70)

1 Pfingstmontag

Im Innern ist ein Universum auch;
Daher der Völker löblicher Gebrauch,
Daß jeglicher das Beste, was er kennt,
Er Gott, ja seinen Gott benennt.
Ihm Himmel und Erden übergibt,
Ihn fürchtet, und womöglich liebt.

2 Dienstag

Es wird einem nichts erlaubt, man muß es nur sich selber erlauben; dann lassen sichs die andern gefallen.

3 Mittwoch

Im Zweifel aber ist kein Verharren, sondern er treibt den Geist zu näherer Untersuchung und Prüfung, woraus dann, wenn dies auf vollkommene Weise geschieht, die Gewißheit hervorgeht, die das Ziel ist, worin der Mensch seine völlige Beruhigung findet.

4 Donnerstag

Die Vernunft ist grausam, das Herz ist besser.

5 Freitag

Doch der den Augenblick ergreift,
Das ist der rechte Mann!

6 Samstag

Ein holder Born, in welchem ich bade,
Ist Überlieferung, ist Gnade.

7 Sonntag

Habt eures Ursprungs vergessen,
Euch zu Sklaven versessen,
Euch in Häusern gemauert,
Euch in Sitten vertrauert,
Kennt die goldnen Zeiten
Nur als Märchen, von weitem.

8 Montag

Man liebt, Ursache und Wirkung zu verwechseln.

9 Dienstag

Einzeln stechen auch die Mücken,
Braucht nicht gleich ein ganzes Heer.

10 Mittwoch

Nur halb ist der Verlust des schönsten Glücks,
Wenn wir auf den Besitz nicht sicher zählten.

11 Donnerstag

Eigentlich kann doch niemand aus der Geschichte etwas lernen, denn sie enthält ja nur eine Masse von Torheiten und Schlechtigkeiten.

12 Freitag

Man sagt, zwischen zwei entgegengesetzten Meinungen liege die Wahrheit mitten inne. Keineswegs! Das Problem liegt dazwischen, das Unschaubare, das ewig tätige Leben, in Ruhe gedacht.

13 Samstag

Nichts vom Vergänglichen,
Wie's auch geschah!
Uns zu verewigen,
Sind wir ja da.

14 Sonntag

Aus tiefem Gemüt, aus der Mutter Schoß
Will manches dem Tage entgegen;
Doch soll das kleine je werden groß,
So muß es sich rühren und regen.

15 Montag

Die Geschäfte müssen abstrakt, nicht menschlich mit Neigung oder Abneigung, Leidenschaft, Gunst behandelt werden, dann setzt man mehr und schneller durch. Lakonisch, imperativ, prägnant.

16 Dienstag

Die Natur ist eine Melodie, in der eine tiefe Harmonie verborgen ist.

17 Mittwoch

Wann werden wir lernen, uns der eingebildeten Übel zu entschlagen und die wahren alsdann einander zutraulich ans Herz zu legen!

18 Donnerstag

Von der Vernunftshöhe herab sieht das ganze Leben einer bösen Krankheit und die Welt einem Tollhaus gleich...

19 Freitag

Wen jemand lobt, dem stellt er sich gleich.

20 Samstag

Ämtchen bringen Käppchen,
Ämtchen bringen Läppchen;
Reißen oft die Kappen
Und das Kleid in Lappen.

21 Sonntag · Sommeranfang

Süß, den sprossenden Klee mit weichlichen Füßen im Frühling
Und die Wolle des Lamms tasten mit zärtlicher Hand;
Süß, voll Blüten zu sehn die neulebendigen Zweige,
Dann das grünende Laub locken mit sehnendem Blick …

22 Montag

Wenn man von Uranfängen spricht, so sollte man uranfänglich reden, das heißt dichterisch; denn was unsrer tagtäglichen Sprache anheimfällt: Erfahrung, Verstand, Urteil, reicht nicht hin.

23 Dienstag

Man weicht der Welt nicht sicherer aus als durch die Kunst, und man verknüpft sich nicht sicherer mit ihr als durch die Kunst.

24 Mittwoch

Glaube ist Liebe zum Unsichtbaren, Vertrauen aufs Unmögliche, Unwahrscheinliche.

25 Donnerstag

Wer gegen sich selbst und andere wahr ist und bleibt, besitzt die schönste Eigenschaft der größten Talente.

26 Freitag

Trägt ja ein jeder Mensch sein Joch!

27 Samstag

»Verweilst du in der Welt, sie flieht als Traum,
Du reisest, ein Geschick bestimmt den Raum;
Nicht Hitze, Kälte nicht vermagst du fest zu halten.
Und was dir blüht, sogleich wird es veralten.«

28 Sonntag

Nichts in der Welt steht einzeln, und irgend ein Wirksames muß nicht als ein Ende, sondern als ein Anfang betrachtet werden.

29 Montag

»Was lehr ich dich vor allen Dingen?«
Möchte über meinen eignen Schatten springen!

30 Dienstag

Freigebiger wird betrogen,
Geizhafter ausgesogen,
Verständiger irregeleitet,
Vernünftiger leer geweitet,
Der Harte wird umgangen,
Der Gimpel wird gefangen.
Beherrsche diese Lüge,
Betrogener betrüge!

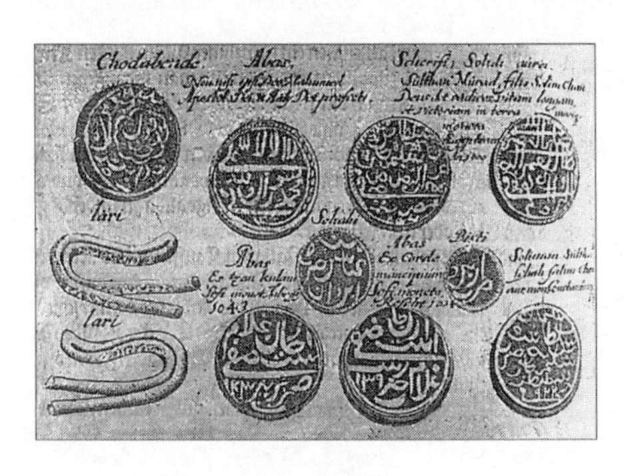

Marianne spricht weiter – Vor Tisch ließ er sich gern Lieder von mir singen, unter andern auch das nette Liedchen aus des Knaben Wunderhorn »Ich weiß mir ein Mädchen hübsch und fein«; er sagte: »Das sind Worte, wobei ein alter Poet vor Neid platzen möchte«. – Im Essen und Trinken war er sehr einfach, hatte aber besondere Neigungen und Gewohnheiten. Salat und Artischocken liebte er vorzüglich; letztere wurden ihm später häufig von uns gesandt. Er führte einen starken Wein mit sich, von dem er um 10 Uhr zum zweiten Frühstück aus einem mitgebrachten silbernen Becher trank.
Marianne an Hermann Grimm, 12. 5. 1853 – Goethe! ja wer ihn kannte! Wärst du mir gegenüber, ich könnte dir wohl von ihm erzählen, was nicht alle wissen; wenn sich die Strahlen seines Geistes in seinem Herzen concentrierten, das war eine Beleuchtung, die einen eigenen Blick verlangte, es war wie Mondlicht und Sonnenlicht, eines nach dem andern, oder auch wohl zugleich, und daraus erklärte sich auch jenes Wundervolle seines Wesens, sein gewahr werden, sich klar machen und für andre zur wahren aber verklärten Erscheinung bringen. Genug! –

Nennen dich den großen Dichter,
Wenn dich auf dem Markte zeigest;
Gerne hör ich wenn du singest,
Und ich horche wenn du schweigest...

Reim auf Reim will was bedeuten,
Besser ist es viel zu denken.
Singe du den andern Leuten
Und verstumme mit dem Schenken.

Divan. Das Schenkenbuch

Marianne. Pastell von Johann Jacob de Lose
Rückwärtig beschriftet: »Frau Geheimräthin Willemer.
gemalt 1809«

Da erblicktest du Suleika
Und gesundetest erkrankend,
Und erkranketest gesundend
Lächeltest und sahst herüber
Wie du nie der Welt gelächelt.
Und Suleika fühlt des Blickes
Ewge Rede: »Die gefällt mir
Wie mir sonst nichts mag gefallen.«
Divan. Buch Suleika

Goethe an Christiane, 30. 8. 1815 – Den 28ten Früh. Musik auf dem Wasser. Allerley artige und lustige Geschenke. Gesellschaft zu Tische. Sehr schöner Tag. Die Gegend herrlich.
Boisserée, Tagebuch, 28. 8. – Morgens Vers an den Goethe fertig. Über Hals und Kopf hinausgeeilt zur Gerbermühle. Das Gartenhaus war mit Schilf ausgeziert, wie Palm-Bäume zwischen die Fenster gebunden, oben an der Decke überhängend. – An der hintern Wand, wo Goethe saß, ein großer Spitzschild mit Laubkränzen, darinnen ein runder Kranz von Blumen, den Farben-Kreis vorstellend.
Willemer eröffnet den Tisch mit einer passenden Anrede, bringt Goethes Gesundheit aus mit einem Wein von seinem Geburtsjahr. Durchgehend muntere Stimmung in der Gesellschaft. –
Am Morgen hatte Frau Bethmann-Hollweg in einem Boot Musik machen lassen, Harmonien! – Es war so eingegerichtet, daß sie anfingen, als Goethe aus dem Bett aufstand. Ei, ei, sagte er etwas ängstlich und bedenklich, da kommen ja gar Musikanten! – doch fand er sich bald zurecht, weil die Musik sehr gut war. – Dann gabs allerdings ein Mißverständnis mit einem Dukaten, den Goethe durch Diener Carl den Musikanten hinausschickte. Die wollten und konnten nichts nehmen, denn es war das Theater-Orchester. Man fand sich beleidigt.
Marianne und Rosette hatten, den Anweisungen der Goetheschen Verse folgend, die sie bereits kannten, einen Turban von dem feinsten indischen Musselin, mit einer Lorbeerkrone umkränzt, auf zwei Körbe voll der schönsten Früchte, Ananas, Melone, Pfirsich, Feigen,

Trauben, und der schönsten Blumen gelegt. Dazu hatte Rosette die Aussicht aus Goethes Fenster auf die Stadt Frankfurt artig gezeichnet und Marianne ein schönes Kränzchen von feinen Feld-Blümchen aufgeklebt, zu beiden waren passende Verse aus dem Hafis geschrieben...

Komm, Liebchen, komm! umwinde mir die Mütze!
Aus deiner Hand nur ist der Tulbend schön.
Hat Abbas doch, auf Irans höchstem Sitze,
Sein Haupt nicht zierlicher umwinden sehn!

Ein Tulbend war das Band, das Alexandern
In Schleifen schön vom Haupte fiel,
Und allen Folgeherrschern, jenen andern,
Als Königszierde wohlgefiel.

Ein Tulbend ist's, der unsern Kaiser schmücket,
Sie nennens Krone. Name geht wohl hin!
Juwel und Perle! sei das Aug entzücket!
Der schönste Schmuck ist stets der Musselin.

Und diesen hier, ganz rein und silberstreifig,
Umwinde, Liebchen, um die Stirn umher.
Was ist denn Hoheit? Mir ist sie geläufig!
Du schaust mich an, ich bin so groß als er.

Entstanden 17. Februar 1815

Goethe, im Morgenblatt, 1816 – Das Buch Suleika, ohnehin das stärkste der Sammlung, unterscheidet sich vom übrigen Divan, daß hier die Geliebte benannt ist, daß sie, Suleika, mit einem entschiedenen Charakter erscheint, ja persönlich als Dichterin auftritt und in froher Jugend mit dem Dichter, der sein Alter nicht verleugnet, an glühender Leidenschaft zu wetteifern scheint. – Sie, die Geistreiche, weiß den Geist zu schätzen, der die Jugend früh zeitigt und das Alter verjüngt.
Marianne an Hermann Grimm, 5. 4. 1856 – Im Divan hast du nichts auszuscheiden. Außer dem Ost- und Westwinde habe ich nichts auf meinem Gewissen als allenfalls noch: »Hochbeglückt in deiner Liebe« und »Sag du hast wohl viel gedichtet«; doch habe ich manches angeregt, veranlaßt und erlebt!

Hatem spricht
Nicht Gelegenheit macht Diebe,
Sie ist selbst der größte Dieb,
Denn sie stahl den Rest der Liebe
Die mir noch im Herzen blieb.

Dir hat sie ihn übergeben
Meines Lebens Vollgewinn,
Daß ich nun, verarmt, mein Leben
Nur von dir gewärtig bin.

Doch ich fühle schon Erbarmen
Im Carfunkel deines Blicks
Und erfreu' in deinen Armen
Mich erneuerten Geschicks.

12. September 1815

(Fortsetzung S. 80)

1 Mittwoch

Magst du einmal mich hintergehen,
Merk ichs, so laß ichs wohl geschehen;
Gestehst du aber mirs ins Gesicht,
In meinem Leben verzeih ichs nicht.

2 Donnerstag

Widersacher, Weiber, Schulden,
Ach! kein Ritter wird sie los.

3 Freitag

Der Gottes-Erde lichten Saal
Verdüstern sie zum Jammertal;
Daran entdecken wir geschwind,
Wie jämmerlich sie selber sind.

4 Samstag

Was ich nicht weiß,
Macht mich nicht heiß.
Und was ich weiß,
Machte mich heiß,
Wenn ich nicht wüßte,
Wie's werden müßte.

5 Sonntag

Wo Lampen brennen, gibts Ölflecken, wo Kerzen brennen, gibts Schnuppen; die Himmelslichter allein erleuchten rein und ohne Makel.

6 Montag

Die Erweiterung des Wissens macht von Zeit zu Zeit eine Umordnung nötig; sie geschieht meistens nach neueren Maximen, bleibt aber immer provisorisch.

7 Dienstag

Lief' das Brot, wie die Hasen laufen,
Es kostete viel Schweiß, es zu kaufen.

8 Mittwoch

Glaube, Liebe, Hoffnung fühlten einst in ruhiger geselliger Stunde einen plastischen Trieb; sie befleißigten sich und schufen ein liebliches Gebild: die Geduld.

9 Donnerstag

Nur solchen Menschen, die nichts hervorzubringen wissen, denen ist nichts da.

10 Freitag

Alle Ganz- und Halbpoeten machen uns mit der Liebe dergestalt bekannt, daß sie müßte trivial geworden sein, wenn sie sich nicht naturgemäß in voller Kraft und allem Glanz immer wieder erneute.

11 Samstag

Der Mensch sieht nur die Wirkungen, die Ursachen, selbst die nächsten sind ihm unbekannt; nur sehr wenige, tiefer Dringende, Erfahrene, Aufmerkende, werden allenfalls gewahr, woher die Wirkung entspringe.

12 Sonntag

Wer Gott ahnet, ist hoch zu halten,
Denn er wird nie im Schlechten walten.

13 Montag

Es ist schwer, gegen den Augenblick gerecht zu sein: der gleichgültige macht uns Langeweile, am guten hat man zu tragen und am bösen zu schleppen.

14 Dienstag

Blumen und Gold zugleich
Machen reich!

15 Mittwoch

Wahre Lieb ist die, die immer und immer sich gleichbleibt,
Wenn man ihr alles gewährt, wenn man ihr alles versagt.

16 Donnerstag

Das Wahre fördert; aus dem Irrtum entwickelt sich nichts. Er verwickelt uns nur.

17 Freitag

Die Wirklichkeit hat nur eine Gestalt; die Hoffnung ist vielgestaltet.

18 Samstag

Wie ihr denkt oder denken sollt,
Geht mich nichts an;
Was ihr Guten, ihr Besten wollt,
Hab ich zum Teil getan.
Viel übrig bleibt zu tun,
Möge nur keiner lässig ruhn! –

19 Sonntag

Niemand wird sich selber kennen,
Sich von seinem Selbst-Ich trennen;
Doch probier er jeden Tag,
Was nach außen endlich, klar,
Was er ist und was er war,
Was er kann und was er mag.

20 Montag

Wie Kirschen und Beeren behagen,
Mußt du Kinder und Sperlinge fragen.

21 Dienstag

Gehorche gern, denn es geziemt dem Manne,
Auch willig das Beschwerliche zu tun.

22 Mittwoch

Lüsternheit: Spiel mit dem zu Genießenden, Spiel mit dem Genossenen.

23 Donnerstag

Machts einander nur nicht sauer;
Hier sind wir gleich, Baron und Bauer.

24 Freitag

Man mag noch so eingezogen leben, so wird man, ehe man sich's versieht, ein Schuldner oder ein Gläubiger.

25 Samstag

»Wo ist der Lehrer, dem man glaubt?«
Tu, was dir dein kleines Gemüt erlaubt.

26 Sonntag

Wie die Pflanzen zu wachsen belieben,
Darin wird jeder Gärtner sich üben;
Wo aber des Menschen Wachstum ruht,
Dazu jeder selbst das Beste tut.

27 Montag

Alles ist gleich, alles ungleich, alles nützlich und schädlich, sprechend und stumm, vernünftig und unvernünftig. Und was man von einzelnen Dingen bekennt, widerspricht sich öfters.

28 Dienstag

Schwer verweilt sichs im Vollkommenen, und was nicht vorwärts gehen kann, schreitet zurück.

29 Mittwoch

Die Menschen vermögen nicht leicht, aus dem Bekannten das Unbekannte zu entwickeln; denn sie wissen nicht, daß ihr Verstand eben solche Künste wie die Natur treibt.

30 Donnerstag

O Welt, vor deinem häßlichen Schlund
Wird guter Wille selbst zunichte.
Scheint das Licht auf einen schwarzen Grund,
So sieht man nichts mehr von dem Lichte.

31 Freitag

Es ist klug und kühn,
Dem unvermeidlichen Übel entgegenzugehn.

SULEIKA ANTWORTET

Hochbeglückt in deiner Liebe
Schelt ich nicht Gelegenheit;
Ward sie auch an dir zum Diebe,
Wie mich solch ein Raub erfreut!

Und wozu denn auch berauben?
Gib dich mir aus freyer Wahl,
Gar zu gerne möcht ich glauben –
Ja! ich bin's die dich bestahl.

Was so willig du gegeben
Bringt dir herrlichen Gewinn,
Meine Ruh, mein reiches Leben
Geb' ich freudig, nimm es hin.

Scherze nicht! Nichts von Verarmen!
Macht uns nicht die Liebe reich?
Halt ich dich in meinen Armen,
Jedem Glück ist meines gleich.

16. September 1815

Marianne war inthronisiert. Sie war Suleika, verkörperte, umkost, umschmeichelt, die Rolle, die der Dichter, wenige Monate zuvor, zu Beginn seiner westöstlichen Reise mit der Verszeile »Da du nun Suleika heißest« konzipiert hatte. – Gilt schon, daß der »Divan«, wie Hannelore Schlaffe scharfblickend und scharflesend nachweist, sich nicht im Zwiegespräch Liebender erschöpft, daß er vielmehr der mit Leidenschaft geführte Dialog zweier Dichter, der Diskurs zwischen Hafis und Goethe ist und dazu noch die intensive Bemühung, große Epochen der Poesie, die Poesie des Orients und des Okzidents, aneinanderzurücken und als geistige

Einheit zu sehen, so gilt erst recht, daß es einfältig wäre, Hatem mit Goethe, Suleika mit Marianne, Protagonisten des weitausgreifenden Spiels, gleichzusetzen. Die Strophen, die ihnen gehören, sind nicht als biographischer Exkurs zu lesen. Goethe spricht von einem Duodrama, angesiedelt in »persischer Gegend«, ein poetisches Hin und Her, in dem alles Verhüllung, Spiegelung, Steigerung ist. Dieser Dialog voller Scherz, Entzücken und keckem Tiefsinn, der sich so leichthin der östlichen Metaphern und Arabesken bedient, ist wahr. Wahr jedoch nur im imaginären Raum der Dichtung.
Wärme, Behagen, Nähe erfüllten die kurzen Tage auf der Gerbermühle. Sie waren wohlige Realität. Suleika und Hatem dagegen: »Dichtrische Perlen, / Die mir deiner Leidenschaft / Gewaltige Brandung / Warf an des Lebens / Verödeten Strand aus.«

Hafis. Getönte Pinselzeichnung von Muhammed Ali, um 1700

Mir von der Herrin süße
Die Chiffer ist zur Hand,
Woran ich schon genieße,
Weil sie die Kunst erfand;
Es ist die Liebesfülle
Im lieblichsten Revier,
Der holde treue Wille
Wie zwischen ihr und mir...

Goethe, Noten und Abhandlungen – ... wir erinnern an eine zwar wohlbekannte, aber doch immer wieder geheimnisvolle Weise, sich in Chiffern mitzuteilen. Liebende werden sich einig, Hafisens Gedichte zum Werkzeug ihres Gefühlswechsels zu machen. Sie bezeichnen Seite und Zeile, die ihren gegenwärtigen Zustand ausdrückt, und so entstehen zusammengeschriebene Lieder von schönstem Ausdruck. Herrliche, zerstreute Stellen des unschätzbaren Dichters werden durch Leidenschaft und Gefühl verbunden, Neigung und Wahl verleihen dem Ganzen ein inneres Leben, und die Entfernten finden ein tröstliches Ergeben, indem sie ihre Trauer mit Perlen seiner Worte schmücken.

Marianne an Hermann Grimm, 21. 1. 1856 – Um nun deine Erwartung nicht allzusehr getäuscht zu haben, schicke ich dir noch einige Blättchen (wahrscheinlich aus dem Spätwinter 1816) mit, die damals den Hauptreiz unseres Briefwechsels bildeten, wo das Geheimis, ein wesentlicher Bestandteil, nicht fehlen durfte.

I – 404 ... 19.20
281 ... 23.24
Lange hat mir der Freund schon keine
Botschaft gesendet.
Lange hat er mir Brief, Worte und
Gruß nicht gesandt.
Beglückt der Kranke, welcher stets
Von seinem Freunde Kunde hat.

1. 3.4.
2. 13—16
3. 9—12
4. 3—14
9. 9.
10. 11.
16. 1—4.
19. 1—8.

I.

139. 6-7.
181. 1-2.
214. - 1-4.
270. - 1-2.
310. - 9-12.
340. - 3-6.
346. - 15-16.
396. - 1.
420. - 1-8.
423. - 15.18.
424. - 1. –

18.8.1815

Zwei Chiffernbriefe Goethes und Mariannes, jeweils mit dem arabischen Namenszug Sulaiha

Hudhud auf dem Palmensteckchen
Hier im Eckchen,
Nistet, äugelnd, wie charmant!
Und ist immer vigilant.

Marianne an Goethe, etwa 28. 8. 1819 – Bei einem Spaziergang führte unser Weg durch einen Wald, der von der Abendsonne herrlich beleuchtet war – und wahrhaftig Huhud lief über den Weg und blieb auf dem Stamm einer Stechpalme sitzen. Ich trat zu ihm und sagte ihm – nein, ich sagte ihm nichts, denn er weiß ja alles. Er versprach, alles pünktlich auszurichten – ist er treu, so hält er Wort und bringt auch Grüße mit zurück, wenn ihn sein Weg über die Mühle führt...

»Hudhud«, sagt ich, »fürwahr!
Ein schöner Vogel bist du.
Eile doch, Wiedehopf!
Eile, der Geliebten
Zu verkünden, daß ich ihr
Ewig angehöre.
Hast du doch auch
Zwischen Salomo
Und Sabas Königin
Ehemals den Kuppler gemacht!«

Divan. Buch der Liebe

AUGUST

1 Samstag

Spricht man mit jedermann,
Da hört man keinen;
Stets wird ein andrer Mann
Auch anders meinen.
Was wäre Rat sodann,
Sie zu verstehen?
Kennst du nicht Mann für Mann,
Es wird nicht gehen.

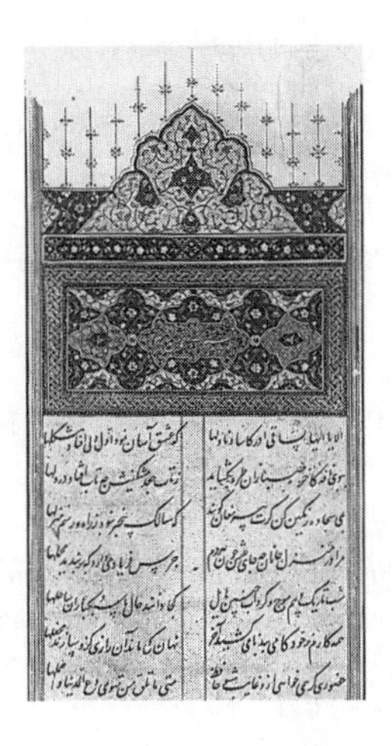

2 Sonntag

»Bist du denn nicht auch zugrunde gerichtet?
Von deinen Hoffnungen trifft nichts ein!«
Die Hoffnung ists, die sinnet und dichtet,
Und da kann ich noch immer lustig sein.

3 Montag

Es gibt keine Lage, die man nicht veredlen könnte durch Leisten oder Dulden.

4 Dienstag

Ein vergangenes Übel ist ein Gut.

5 Mittwoch

Glaube mir gar und ganz,
Mädchen, laß deine Bein' in Ruh;
Es gehört mehr zum Tanz
Als rote Schuh.

6 Donnerstag

Durch Vernünfteln wird Poesie vertrieben,
Aber sie mag das Vernünftige lieben.

7 Freitag

Ihr Gläubigen! rühmt nur nicht euren Glauben
Als einzigen; wir glauben auch wie ihr.
Der Forscher läßt sich keineswegs berauben
Des Erbteils, aller Welt gegönnt – und mir.

8 Samstag

In ganz gemeinen Dingen
Hängt viel von Wahl und Wollen ab; das Höchste,
Was uns begegnet, kommt, wer weiß, woher.

9 Sonntag

Von heiligen Männern und von weisen
Ließ' ich mich recht gern unterweisen;
Aber es müßt kurz geschehn,
Langes Reden will mir nicht anstehn.
Wonach soll man am Ende trachten?
Die Welt zu kennen und sie nicht verachten.

10 Montag

Dem Verzweifelnden verzeiht man alles, dem Verarmten gibt man jeden Erwerb zu.

11 Dienstag

Alles Gescheite ist schon gedacht worden; man muß nur versuchen, es noch einmal zu denken.

12 Mittwoch

Das radikale Übel: daß jeder gern sein möchte, was er sein könnte, und die übrigen nichts, ja nicht wären.

13 Donnerstag

Wenn einer in seinem zwanzigsten Jahre nicht jung ist, wie soll er es in seinem vierzigsten sein!

14 Freitag

Die Menschen sind immer bei beschränkten Mitteln noch beschränkter als die Mittel, die ihnen zu Gebote stehen.

15 Samstag

Den hochbestandnen Föhrenwald
Pflanzt ich in jungen Tagen;
Er freut mich so!–!–! – Man wird ihn bald
Als Brennholz niederschlagen.

16 Sonntag

Mit jemand leben oder in jemand leben, ist ein großer Unterschied. Es gibt Menschen, in denen man leben kann, ohne mit ihnen zu leben, und umgekehrt. Beides zu verbinden ist nur der reinsten Liebe und Freundschaft möglich.

17 Montag

Eine gefallene Schreibfeder muß man gleich aufheben, sonst wird sie zertreten.

18 Dienstag

Von jedem, was dem Menschen Sonderbares begegnet, wird er innig gerührt. Ein Übel, das vorüber ist, wird ihm zu einem Schatze der Erinnerung für sein ganzes Leben.

19 Mittwoch

Bleibt so etwas, dem wir huldgen,
Wenn wirs auch nicht recht begreifen;
Wir erkennen, wir entschuldgen,
Mögen nicht zur Seite weichen.

20 Donnerstag

Wer uns am strengsten kritisiert?
Ein Dilettant, der sich resigniert.

21 Freitag

Mit dieser Welt ists keiner Wege richtig;
Vergebens bist du brav, vergebens tüchtig,
Sie will uns zahm, sie will sogar uns nichtig!

22 Samstag

Die Vernunft des Menschen und die Vernunft der Gottheit sind zwei sehr verschiedene Dinge.

23 Sonntag

Warum werden die Dichter beneidet?
Weil Unart sie zuweilen kleidet,
Und in der Welt ists große Pein,
Daß wir nicht dürfen unartig sein.

24 Montag

Wenn ein paar Menschen recht miteinander zufrieden sind, kann man meistens versichert sein, daß sie sich irren.

25 Dienstag

»Wie hast du's denn so weit gebracht?
Sie sagen, du habest es gut vollbracht!«
Mein Kind! ich hab es klug gemacht,
Ich habe nie über das Denken gedacht.

26 Mittwoch

Man kennt nur diejenigen, von denen man leidet.

27 Donnerstag

Zum Tun gehört Talent, zum Wohltun Vermögen.

28 Freitag. Goethes Geburtstag (1749)

Es ist höchst bedeutend, einen Autor als Menschen zu betrachten; denn wenn man behauptet: schon der Stil eines Schriftstellers sei der ganze Mann, wieviel mehr sollte nicht der ganze Mensch den ganzen Schriftsteller enthalten.

29 Samstag

Künstler! dich selbst zu adeln,
Mußt du bescheiden prahlen;
Laß dich heute loben, morgen tadeln,
Und immer bezahlen.

30 Sonntag

Der zur Vernunft geborene Mensch bedarf noch großer Bildung, sie mag sich ihm nun durch Sorgfalt der Eltern und Erzieher, durch friedliches Beispiel oder durch strenge Erfahrung nach und nach offenbaren.

31 Montag

Wie's aber in der Welt zugeht
Eigentlich niemand recht versteht,
Und auch bis auf den heutigen Tag
Niemand gerne verstehen mag.
Gehabe du dich mit Verstand,
Wie dir eben der Tag zur Hand;
Denk immer: Ist 's gegangen bis jetzt,
So wird es auch wohl gehen zuletzt.

Der Wiedehopf als Liebesbote Hudhud
Kolorierte Federzeichnung. Dekor einer Schachtel.
Ein Gruß Goethes für Marianne. Weihnachten 1820

Marianne war es wohl, die mit ihrer Begabung zur graziösen Umschreibung – auch der Sehnsucht, auch des Ungenügens – einen verschwiegenen Liebeskult stiftete: ein Ritual voller Anspielung und zart fordernder Hinweise. Sie erfand mit dem »Jahr der Welten« eine eigene Zeitrechnung; erhob die Vollmondnächte, die alljährliche Wiederkehr des 18. Oktobers zu Gedenktagen, erhob im zierlichen Scherz Hudhud, den Vigilanten, zum wachsamen Botschafter ihres Bundes. In Chiffren, geheimnisvoll verrätselt, Hammers Hafis Übersetzung entnommen, gestand sie dem Geliebten unverhüllt die Not, das Glück ihres Herzens. – Vier der kleinen Zettel fand noch Konrad Burdach, winzig und vergilbt, in die Hammersche Übersetzung eingeklebt, die Goethe benutzt hatte. Von Goethe sind zwei der poetischen Rätsel erhalten – außer den Umdichtungen, zu denen ihn Mariannes Zahlenspiele anregten ...

Boisserée, Tagebuch, 17.9. – Mittags die Frauen. Die Schwäger, Riese usw. kommen, ein großer Tisch im großen Saal. Regnerisches Wetter. Goethe erzählt von der schönen Müllerstochter in der Nonnenmühle bei Wiesbaden – ein Gegenstück zu seiner Dorothea. Reinlichkeit, Wohlhabenheit, Schönheit, Derbheit. Nachmittags kömmt Herr Mieg, jetzt Hofmeister bei dem Grafen Ysenburg, früher Bramy Willemers Erzieher. – Goethes Apprehension und Scheu, als der Mann hereintrat und ihm als ein Freund des Hauses angekündigt wurde.
Abends Gesang – »Kennst du das Land« – »Der Gott und die Bajadere«. – Goethe wollte das anfangs nicht. – Bezog sich auf ein Gespräch, das ich kurz vorher mit ihm geführt: daß es fast Mariannes eigene Geschichte sei, darum solle sie es nimmer singen! – Weiter sang sie »Schlaf, was willst du mehr« und »Wenn du zu meim Schätzel kommst«, dann »Gib mir die Hand, mein Leben«, als Arie gesungen. Goethe nennt Marianne einen kleinen Don Juan. Wirklich war ihr Gesang so verführerisch gewesen, daß wir alle in lautes Lachen ausbrachen und Marianne den Kopf in die Noten versteckte und sich nicht erholen konnte. –
Die lustige Stimmung setzte sich auch am Tisch fort. Die Frauen brachten allerlei Privatisier-Sprüche vor, wozu die Anwesenheit von Herrn Mieg Anlaß zu geben schien.
Dann wurde viel Spaß getrieben mit der Anspielung auf die Müllerin und auf den Müllersknecht [als der sich Boisserée apostrophiert fand], an dem, wie es im Liede heißt, nichts zu verderben sei, da er sich bereits in der Mühle befände.

Unter anderem sagte Marianne (österreichische Katholikin wie ich Katholik vom Rhein), sie lobe sich die Katholiken, alles was sie von Köln höre, passe genau auf Linz und Österreich, da sei doch ein unbedingtes Vertrauen auf die unendliche Barmherzigkeit Gottes. – Schließlich las Goethe noch Gedichte. Man hatte ihn wegen des Herrn Mieg darum gebeten. Die kleine Frau schmückte sich mit ihrem Turban und orientalisch farbigen Shawl, den Goethe ihr geschenkt hatte. Es wurde viel gelesen, auch viel Liebesgedichte an Suleika, an Jussuph usw. Willemer schlief ein, wird darum gefoppt. Wir blieben deshalb desto länger zusammen – bis ein Uhr. Mondschein-Nacht. Goethe will mich in seinem Zimmer noch bei sich behalten. Wir schwatzen, ihm fällt ein, mir den Versuch mit den farbigen Schatten zu zeigen. Wir treten mit einem Wachslicht auf den Balkon und werden am Fenster von der kleinen Frau belauscht...

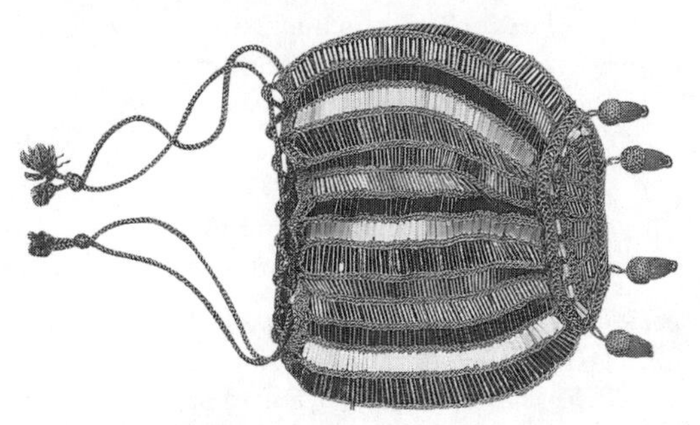

Beutel mit Perlen und farbigen Glasstäbchen.
Für Marianne von Willemer von Goethe.
Weihnachten 1820

Suleika

Als ich auf dem Euphrat schiffte,
Streifte sich der goldne Ring
Fingerab, in Wasserklüfte,
Den ich jüngst von dir empfing.

Also träumt' ich, Morgenröte
Blitzt in's Auge durch den Baum,
Sag Poete, sag Prophete!
Was bedeutet dieser Traum?

Hatem

Dies zu deuten bin erbötig!
Hab' ich dir nicht oft erzählt
Wie der Doge von Venedig
Mit dem Meere sich vermählt.

So von deinen Fingergliedern
Fiel der Ring dem Euphrat zu.
Ach zu tausend Himmelsliedern
Süßer Traum begeisterst du...

Mich vermählst du deinem Flusse,
Der Terrasse, diesem Hayn,
Hier soll bis zum letzten Kusse
Dir mein Geist gewidmet seyn.

Beide Gedichte, Gruß, Dank und Abschied in einem, schrieb Goethe am letzten Tag seines Aufenthaltes in der Gerbermühle, wo er, nur unterbrochen von fünf Tagen im Roten Männchen zu Frankfurt, hier wie dort Willemers Gast, umsorgt, verwöhnt, bewundert, verehrt, die Wochen vom 12. August bis zum 17. September arbeitend und genießend verbracht hatte.

1 Dienstag

Gut verloren – etwas verloren!
Mußt rasch dich besinnen
Und neues gewinnen.
Ehre verloren – viel verloren!
Ruhm gewinnen,
Da werden die Leute sich anders besinnen.
Mut verloren – alles verloren!
Da wär es besser, nicht geboren.

2 Mittwoch

Warum uns Gott so wohlgefällt?
Weil er sich uns nie in den Weg stellt.

3 Donnerstag

Ich finde nichts vernünftiger in der Welt, als von den Torheiten anderer Vorteil zu ziehen.

4 Freitag

Die Vorsehung hat tausend Mittel, die Gefallenen zu erheben und die Niedergebeugten aufzurichten.

5 Samstag

Die Welt ist so leer, wenn man nur Berge, Flüsse und Städte darin denkt, aber hie und da jemand zu wissen, der mit uns übereinstimmt, mit dem wir auch stillschweigend fortleben, das macht uns dieses Erdenrund erst zu einem bewohnten Garten.

6 Sonntag

Suche nicht vergebne Heilung!
Unsrer Krankheit schwer Geheimnis
Schwankt zwischen Übereilung
Und zwischen Versäumnis.

7 Montag

Man kann niemand lieben, als dessen Gegenwart man sicher ist, wenn man sein bedarf.

8 Dienstag

Wer ein Übel los sein will, der weiß immer, was er will.

9 Mittwoch

Verharren wir aber in dem Bestreben: das Falsche, Ungehörige, Unzulängliche, was sich in uns und andern entwickeln oder einschleichen könnte, durch Klarheit und Redlichkeit auf das möglichste zu beseitigen.

10 Donnerstag

Es ist nichts unerträglicher, als sich das Vergnügen vorrechnen zu lassen, das man genießt.

11 Freitag

Wo ich aufhören muß, sittlich zu sein, habe ich keine Gewalt mehr.

12 Samstag

Verfahre ruhig, still,
Brauchst dich nicht anzupassen;
Nur wer was gelten will,
Muß andre gelten lassen.

13 Sonntag

Nachdem einer ringt,
Also ihm gelingt,
Wenn Manneskraft und Hab
Ihm Gott zum Willen gab.

14 Montag

Warum soll man nicht alles verehren, was das Gemüt erhebt und uns durchs mühselige Leben hindurchhilft! Wenn ihr das Salz wegwerft, womit soll man salzen!

15 Dienstag

Es werden die Sachen nicht durch Übereilung gebessert.

16 Mittwoch

Lebst im Volke; sei gewohnt,
Keiner je des andern schont.

17 Donnerstag

Die Vernunft hat nur über das Lebendige Herrschaft.

18 Freitag

Man könnte zum Scherze sagen, der Mensch sei ganz aus Fehlern zusammengesetzt, wovon einige der Gesellschaft nützlich, andre schädlich, einige brauchbar, einige unbrauchbar gefunden werden. Jene nennt man Tugenden, diese Fehler.

19 Samstag

»Deine Zöglinge möchten dich fragen:
Lange lebten wir gern auf Erden,
Was willst du uns für Lehre sagen?«
Keine Kunst ists, alt zu werden,
Es ist Kunst, es zu ertragen.

20 Sonntag

Unentschlossenheit ist die größte Krankheit.

21 Montag. Jüdisches Neujahr

Es ist besser, man betrügt sich an seinen Freunden, als daß man seine Freunde betrüge.

22 Dienstag

Wie wollten die Fischer sich nähren und retten,
Wenn die Frösche sämtlich Zähne hätten?

23 Mittwoch · Herbstanfang

Wenn der Mensch die Erde schätzet,
Weil die Sonne sie bescheinet,
An der Rebe sich ergetzet,
Die dem scharfen Messer weinet...
Weiß er das der Glut zu danken,
Die das alles läßt gedeihen;
Wird Betrunkener stammelnd wanken,
Mäßger wird sich singend freuen.

24 Donnerstag

Wenn man einmal seinen Vorsatz gefaßt hat, gibt sich das übrige alles von selbst.

25 Freitag

Man gäbe viel Almosen, wenn man Augen hätte zu sehen, was eine empfangende Hand für ein schönes Bild macht.

26 Samstag

»Sag mir, worauf die Bösen sinnen!«
Andern den Tag zu verderben,
Sich den Tag zu gewinnen;
Das, meinen sie, heiße erwerben.

27 Sonntag

Nicht alles ist an Eins gebunden;
Seid nur nicht mit euch selbst im Streit!
Mit Liebe endigt man, was man erfunden;
Was man gelernt, mit Sicherheit.

28 Montag

Ein Mensch zeigt nicht eher seinen Charakter, als wenn er von einem großen Menschen oder von etwas Außerordentlichem spricht. Es ist der rechte Probierstein aufs Kupfer.

29 Dienstag

Sie schelten einander Egoisten;
Will jeder doch nur sein Leben fristen.
Wenn der und der ein Egoist,
So denke, daß du es selber bist...
Dann werdet ihr das Geheimnis besitzen,
Euch sämtlich untereinander zu nützen;
Doch den laßt nicht zu euch herein,
Der andern schadet, um etwas zu sein.

30 Mittwoch · Jüd. Versöhnungstag

Denn höher vermag sich niemand zu heben, als wenn er vergibt.

III. DAS HEIDELBERGER INTERMEZZO

ÜBERRASCHUNG

Goethe, Tagebuch, 18. 9. 1815 – Von der Gerbermühle abgefahren halb fünf. Herrlicher Abend. Vollmond. Darmstadt. Allein zu Nacht essend. – Den 19ten Museum. Mittag bei Hofe. – Den 20ten Um sechs Uhr von Darmstadt. Ein Uhr in Heidelberg. In Boisserées Gemälde-Galerie. Zeitig zu Bett. – Den 21ten Arabisch geschrieben. Mittag mit den Freunden. –
Den 22ten Auf dem Schlosse. Herrlicher Morgen. Abend bei Paulus. Arabica.
Boisserée, Tagebuch, 23. 9. – Goethe morgens früh auf dem Schloß dichtend. – Mittags, als wir bei Tische, kömmt Willemer unerwartet. Nachdem wir eine kurze Weile gesessen und uns von der ersten Überraschung erholt, springt Goethe plötzlich auf, ich folge ihm, er sagt: »Wir können doch nicht essen, während die Frauen im Gasthof warten. Das gibt ein Precipizio der ersten Sorte!« – Ich ging in den Hecht und erst als ich Marianne und Rosette bringe, setzt sich Goethe wieder zu Tisch.

Marianne schreibt auf ihrem Weg zu Goethe
Was bedeutet die Bewegung?
Bringt der Ost mir frohe Kunde?
Seiner Schwingen frische Regung
Kühlt des Herzens tiefe Wunde.

Kosend spielt er mit dem Staube,
Jagt ihn auf in leichten Wölckchen,

Treibt zur sichern Rebenlaube
Der Insekten frohes Völkchen.

Lindert sanft der Sonne Glühn,
Kühlt auch mir die heißen Wangen,
Küßt die Reben noch im Fliehen,
Die auf Feld und Hügel prangen.

Und mir bringt sein leises Flüstern
Von dem Freunde tausend Grüße;
Eh noch diese Hügel düstern,
Grüßen mich wohl tausend Küsse.

Und so kannst du weiter ziehen!
Diene Freunden und Betrübten.
Dort wo hohe Mauern glühen,
Find ich bald den Vielgeliebten.

Ach die wahre Herzenskunde,
Liebeshauch, erfrischtes Leben
Wird mir nur aus seinem Munde,
Kann mir nur sein Atem geben.

Goethe. Federzeichnung aquarelliert.
Terrasse des Heidelberger Schlosses, wo Goethe und Marianne von Willemer sich am 26. 9. ein letztes Mal sahen.

Goethe, Tagebuch, 24. 9. – Auf dem Schlosse. Nebel. Im Hecht. Bilder besehen. Mittag Willemers. In Boisserées Kabinett. – Den 25ten Auf dem Schlosse. Der junge Russe. Die Gesellschaft. Herab. Mittag Familie. Die Gesellschaft. Abschied.

Th. Creiznach, 1877 – Bei dem letzten Spaziergang, den Goethe und Marianne am 25. September 1815 auf dem Schlosse machten, wurden sie durch einen lärmend heranziehenden Doppelschwarm von Studenten und von russischen Soldaten gestört...

Marianne von Willemer an Goethe, 25. 8. 1824 – Mit inniger Liebe gedenken wir Ihrer und segnen still und einsam das Fest Ihrer Geburt. Der Himmel scheint es verherrlichen zu wollen, denn die Sonne färbt mit glühendem Purpur den klaren Abendhimmel, der Main ist dunkelblau, ganz so wie damals; aber einer fehlt, der betrachtet und deutet... Gedenken Sie meiner, und in Liebe; daß ich Ihrer gedenke, möge Nachstehendes beweisen, so wie, daß die schönste Gegend immer eine fremde bleibt, wenn nicht durch Liebe und Freundschaft sie heimisch geworden, wo fände sich für mich eine schönere als Heidelberg!

Wohin den Blick das Auge forschend wendet
In diesem blütenreichen Friedensraum,
Wird mir ein leiser Liebesgruß gesendet
Aus meines Lebens freudevollstem Traum.

An der Terrasse hohem Berggeländer
War eine Zeit sein Kommen und sein Gehn,
Die Zeichen, treuer Neigung, Unterpfänder,
Sie sucht ich, und ich kann sie nicht erspähn.

Durch jene Halle trat der hohe Norden
Bedrohlich unserm friedlichen Geschick;
Die rauhe Nähe kriegerischer Horden
Betrog uns um den flüchtgen Augenblick...

Schließt euch um mich ihr unsichtbaren Schranken
Im Zauberkreis, der magisch mich umgibt,
Versenkt euch willig Sinne und Gedanken,
Hier war ich glücklich, liebend und geliebt.

Aus: Das Heidelberger Schloß. 1824

Goethe, Tagebuch, 26. 9. 1815 – Abreise der Freunde. Divan. Blieb zu Hause. Arabische Grammatik. Mittags die Gesellen Boisserées und Bertram. Divan gelesen. Früh zu Bette.
Goethe, Chiffernbrief, 25. 9. (?) – Leicht ist die Liebe im Anfang / Es folgen aber Schwierigkeiten!

Mehr ist nicht zu erfahren. Verschwiegenheit, Diskretion sind Gebot. – Zwar entstehen Gedichte, und das gerade in den kurzen Heidelberger Tagen, dicht auf dicht, wie etwa »Wiederfinden« oder »An des lustgen Brunnens Rand« oder »Locken haltet mich gefangen« oder »An vollen Büschelzweigen«. Strophen, die sich wie eine Agenda zärtlichster Geständnisse lesen, aber Marianne besteigt, nur zage hoffend, wie ihre Klage an den Westwind verrät, den Wagen nach Frankfurt. – Goethe hatte, obwohl von Marianne noch fasziniert und bezaubert, bereits in den gleichen Tagen an Christiane geschrieben, daß er hoffe, seinen Rückweg über Würzburg zu nehmen. »Nach Frankfurt möcht ich nicht wieder«, fügt er hinzu. – Und er hatte doch wohl Marianne beim Abschied, zumindest andeutend, ein Wiedersehn in Frankfurt versprochen!? Eine intrikate Situation.

Ach, um deine feuchten Schwingen,
West, wie sehr ich dich beneide:
Denn du kannst ihm Kunde bringen
Was ich in der Trennung leide.

Die Bewegung deiner Flügel
Weckt im Busen stilles Sehnen;
Blumen, Augen, Wald und Hügel
Stehn bei deinem Hauch in Tränen.

Doch dein mildes sanftes Wehen
Kühlt die wunden Augenlider;
Ach, für Leid müßt ich vergehn,
Hofft ich nicht zu sehn ihn wieder.

Eile denn zu meinem Lieben,
Spreche sanft zu seinem Herzen;
Doch vermeid ihn zu betrüben
Und verbirg ihm meine Schmerzen.

Sag ihm, aber sag's bescheiden:
Seine Liebe sei mein Leben,
Freudiges Gefühl von beiden
Wird mir seine Nähe geben.

26. September 1815

Marianne, eine gelehrige Schülerin, die die Hafis-Übersetzung, ihr von Goethe 1815 dediziert, wohl zu nutzen wußte, entlehnte »dem unbändigen Genius morgenländischer Fantasie« das Bild vom Ostwind, der auf seinen Flügeln ihr, wie König Salomo, Kunde vom Liebsten bringt. – Auch der Westwind ist im Repertoire orientalischer Poesie, Liebesbote, von Marianne, wie

Hendrick Birus sagt, ins europäisch Empfindsame abgewandelt. – Goethe nahm beide Gedichte, ohne der Autorin Namen zu nennen, 1819 in den Divan auf.

Goethe an Marianne von Willemer, 9. 5. 1824 – Als ich des guten Eckermanns Büchlein, seine »Beiträge zur Poesie«, aufschlug, fiel mir Seite 279, mit der Würdigung Ihrer Strophen an den Westwind, zuerst in die Augen. Wie oft hab ich nicht das Lied singen hören, wie oft dessen Lob vernommen und in der Stille mir lächelnd angeeignet, was denn wohl auch im schönsten Sinn mein eigen genannt werden durfte. – In derselben Stunde fuhr ich mit meiner Schwiegertochter nach Belvedere und in den Grünhäusern brach ich die beiden Zweige, verknüpfte sie und mit wenigen, aber wohlempfundenen Reimen begleitet gingen sie ab. Einer freundlichen Aufnahme blieb ich versichert, die Sie nun so liebenswürdig aussprechen und mich glücklich machen…

Myrt und Lorbeer hatten sich verbunden;
Mögen sie vielleicht getrennt erscheinen,
Wollen sie, gedenkend selger Stunden,
Hoffnungsvoll sich abermals vereinen.

AUFKLÄRUNG
(Zwischenbemerkung)

Hermann Grimm, Goethe und Suleika, 1869 – »An das Landhaus, in dem wir wohnten, stieß ein abgezäunter Garten, dessen ganze Länge nach der einen Seite ein ungeheures Resedabeet bildete, dahinter eine ebenso ausgedehnte Wand mit Pfirsichspalieren, deren wundervolle reichliche Früchte in größerer Anzahl uns zu Gebote standen, als wir ihnen gerecht zu werden im Stande waren. Man erblickte von da aus das fruchtbare Land, das in weiter Ebene sanft abfiel, so daß der abschließende gebirgige Horizont sich um so kräftiger wieder erhob. Wir gingen da eines Abends und hatten über Goethe gesprochen. Ich erinnere mich deutlich, wie über den Himmel von Westen her allerlei Gewölk zog, und ein seufzender Wind über das Land strich. Ich weiß nicht, wie mir Goethes Verse da in den Sinn kamen ›Ach, um deine feuchten Schwingen, West wie sehr ich dich beneide‹. Ich sprach sie halblaut vor mich hin im Weiterschreiten. Marianne machte Halt, sah mich eine Weile mit ihren graublauen, glänzenden und beweglichen Augen an und sagte: ›Höre, wie kommst du dazu, dies Gedicht zu sagen?‹

›O, es fiel mir gerade so lebhaft ein‹, antwortete ich. ›Es ist eins von Goethes schönsten.‹

Marianne sah mich immer an, als wolle sie etwas sagen, besänne sich aber, ob sie es tun sollte.

›Ich will dir etwas sagen‹, rief ich plötzlich aus und weiß selbst nicht, wie ich darauf kam: ›das Gedicht ist von dir? du hast es gemacht?‹

Die Vermutung lag in Wahrheit nicht so fern. Der Di-

(Fortsetzung S. 112)

OKTOBER

1 Donnerstag

Schlägt der Unerfahrene nicht das Vortrefflichste aus, das man ihm anbietet?

2 Freitag

Man muß sich immer einrichten, in einem unerforschlichen Meere zu schwimmen.

3 Samstag · Tag der deutschen Einheit

Und nun sei ein heiliges Vermächtnis
Brüderlichem Wollen und Gedächtnis:
Schwerer Dienste tägliche Bewahrung,
Sonst bedarf es keiner Offenbarung.

OKTOBER

4 Sonntag · Erntedank

Für Sorgen sorgt das liebe Leben,
Und Sorgenbrecher sind die Reben.

5 Montag · Laubhüttenanfang

Beständiger Ernst hat zum Vorteil, daß er dann und wann auch recht lustig wird und so zu einem Gipfel kommt.

6 Dienstag

Allein der Vortrag macht des Redners Glück.

7 Mittwoch

Die Sorge geziemt dem Alter, damit die Jugend eine Zeitlang sorglos sein könne.

8 Donnerstag

Ein Zustand, der alle Tage neuen Verdruß zuzieht, ist nicht der rechte.

9 Freitag

Die Krankheit erst bewähret den Gesunden.

10 Samstag

Wen du nicht verlässest, Genius,
Nicht der Regen, nicht der Sturm
Haucht ihm Schauer übers Herz.
Wen du nicht verlässest, Genius,
Wird dem Regengewölk,
Wird dem Schloßensturm
Entgegensingen,
Wie die Lerche,
Du da droben.

11 Sonntag

So kommt denn auch das Dichtergenie
Durch die Welt, und weiß nicht wie.
Guten Vorteil bringt ein heitrer Sinn;
Andern zerstört Verlust den Gewinn.

12 Montag · Laubhütten-Ende

Das Geschick
Wird nicht von uns beherrscht und unsern Wünschen,
Und so ergib dich ihm, wie wir es tun.

13 Dienstag · Jüd. Gesetzesfreude

Man beobachtet niemand als die Personen, von denen man leidet. Um unerkannt in der Welt umherzugehen, müßte man nur niemand wehe tun.

14 Mittwoch

Wer sich an eine falsche Vorstellung gewöhnt, dem wird jeder Irrtum willkommen sein.

15 Donnerstag

Eitelkeit ist persönliche Ruhmsucht: man will nicht wegen seiner Verdienste und Taten geschätzt, geehrt, gesucht werden, sondern um seines individuellen Daseins willen. Am besten kleidet die Eitelkeit deshalb eine frivole Schöne.

16 Freitag

Mit den Jahren steigern sich die Prüfungen.

17 Samstag

Glaubst du denn: von Mund zu Ohr
Sei ein redlicher Gewinst?
Überliefrung, o du Tor
Ist auch wohl ein Hirngespinst!

18 Sonntag

Den rechten Lebensfaden
Spinnt einer, der lebt und leben läßt;
Er drille zu, er zwirne fest,
Der liebe Gott wird weifen.

19 Montag

Wie ein Schriftsteller sich ankündigt, fährt er meist fort, und bei mittleren Talenten sind oft im ersten Werke bereits alle übrigen enthalten.

20 Dienstag

Wo recht viel Widersprüche schwirren,
Mag ich am liebsten wandern;
Niemand gönnt dem andern –
Wie lustig! – das Recht zu irren.

21 Mittwoch

Eine richtige Antwort ist wie ein lieblicher Kuß.

22 Donnerstag

Es ist immer ein Vorteil, auf dasjenige früh gewiesen zu werden, worauf man später selbst kommen würde.

23 Freitag

Das Urteil können sie verwehren, aber die Wirkung nicht hindern.

24 Samstag

Ein Mann, der Tränen streng entwöhnt,
Mag sich ein Held erscheinen;
Doch wenn's im Innern sehnt und dröhnt,
Geb ihm ein Gott – zu weinen.

25 Sonntag

Dummes Zeug kann man viel reden,
Kann es auch schreiben,
Wird weder Leib noch Seele töten,
Es wird alles beim alten bleiben.
Dummes aber vors Auge gestellt
Hat ein magisches Recht:
Weil es die Sinne gefesselt hält,
Bleibt der Geist ein Knecht.

26 Montag

Die wahre Liberalität ist Anerkennung.

27 Dienstag

Es hört jedoch jeder nur, was er versteht.

28 Mittwoch

Es ist die Art aller Menschen, denen an ihrer inneren Bildung viel gelegen ist, daß sie die äußeren Verhältnisse vernachlässigen.

29 Donnerstag

Im Laufe des frischen Lebens erduldet man viel, es sei nun vom Veralteten oder Überneuen.

30 Freitag

Das Absurde, Falsche läßt sich jedermann gefallen: denn es schleicht sich ein; das Wahre, Derbe nicht: denn es schließt aus.

31 Samstag · Reformationsfest

Luther war ein Genie sehr bedeutender Art. Er arbeitete sich durch verjährte Vorurteile und schied das Göttliche vom Menschlichen. Er gab dem Herzen seine Freiheit wieder und machte es der Liebe fähiger.

van ist da, wo diese Verse sich finden, fast wie ein Duett gehalten. Ich wußte außerdem, welchen Anteil Marianne an der Entstehung dieser Dichtung hatte.
›Du darfst es niemand wiedersagen‹, begann sie nach einer Weile und streckte mir die Hand hin: ›Ja, ich habe die Verse gemacht.‹
Dies kam mir doch unerwartet. Sie brach dann aber das Gespräch ab. Der nächste Morgen war schon der Tag der Abreise.«
Marianne hatte Grimm, wie Hans Joachim Mey (Herausgeber des Briefwechsels zwischen Grimm und Marianne von Willemer) sagt, das Geheimnis ihres Lebens anvertraut. Er empfand sofort, daß ihm hier ein Umstand von großer Bedeutung bekannt geworden war. Marianne war damit, wie Grimm formuliert, »in ihrem Verhältnis zu Goethe nicht nur der allgemeine Rang einer Freundin angewiesen, sondern ihr war eine feste Stellung gegeben, zu Goethe persönlich sowohl als zum west-östlichen Divan ...«.
Auch nach Mariannes Tod hat Hermann Grimm das ihm anvertraute Divan-Geheimnis bewahrt. Am 6. Dezember 1860 war sie, eine Fünfundsiebzigjährige, gestorben. »Rasch und ohne viel Umstände ist sie«, wie Hermann Grimm sagt, »aus der Welt gegangen, der sie bis zuletzt herzlich gut war.«
Doch als fast zehn Jahre hingegangen waren und sich Mariannes Lebenskreis in Frankfurt zunehmend gelichtet hatte, gab er dem Gedanken nach, die Öffentlichkeit über ihren Anteil an Goethes »West-östlichem Divan« zu unterrichten und das Bild ihrer Persönlichkeit für die Nachwelt festzuhalten. – Er schrieb ›Goethe und Suleika‹, eine Studie, die 1869 in den Preußischen Jahrbüchern erschien.

Boiserée, Tagebuch, 5. 10. 1815 – So kamen wir, nach ein paar Tagen in Karlsruhe, müde, gereizt, halb ahndungsvoll, halb schläfrig, im schönsten Sternenlicht bei scharfer Kälte nach Heidelberg zurück.
Goethe, Tagebuch, 6. 10. – Briefe. Entschluß zur Abreise. Divan in Bücher eingeteilt. Zeitig zu Bett.
Boisserée, Tagebuch, 6. 10. – Dunkel Wetter. Morgens. Goethe will plötzlich fort; sagt mir, ich mache mein Testament; wir bereden ihn mit großer Mühe, noch einen Tag auszuruhen und übermorgen zu reisen. Er ist sehr angegriffen, hat nicht gut geschlafen. Muß flüchten ... Er befindet sich übel.

Sulpiz Boisserée. Lithographie von Peter Cornelius

Goethe an Rosette, 6. 10. 1815 – Denken Sie, daß, bis gestern, ich hoffen konnte, Sie jeden Tag zu sehen, und nun nimmt michs beim Schopf und führt mich, über Würzburg nach Hause. Lassen Sie mich erst unterwegs sein und das als eine unausweichliche Notwendigkeit begreifen: so hören Sie mehr von mir und, wills Gott, was Ordentliches. Verzeihen Sie das Federspritzen und die Kleckschen, das sieht meinem Zustand ganz ähnlich. Adieu den Beiden! Mögen sie vereint bleiben! Und Mir!

Goethe, Tagebuch, 7. 10. – Eingepackt. Gefrühstückt. Mittag abgefahren.

Boisserée 7. 9. – Regenwetter. Morgens ganz früh Goethe unruhig; fürchtet eine Krankheit, will schon zu Mittag fort. Ich biete mich zur Begleitung an und bereite mich vor, ihm nach Weimar zu folgen. Trauriger, schwerer Abschied von Heidelberg... Im Wagen erholt sich Goethe allmählich. Die Sicherheit, nicht mehr vom Herzog, der ihn gern in Frankfurt gesehen hätte, erreicht zu werden, beruhigt ihn sichtbarlich. – Abends in Neckar-Elz. Kaltes Zimmer. Er ist munter, vergißt die Kälte, indem er mir von seinen orientalischen Liebes-Gedichten vorliest. – Den 8ten Heiteres Wetter. Morgens nach Würzburg. Liebesgeschichten wechselseitig. Wir däumeln im Divan des Hafis. Ich immer unglücklich, Goethe meist verliebt. Wir schliefen in einer Stube. – In Hardtheim Mittagessen. Junges, frisches Mädchen, nicht schön, aber verliebte Augen. Goethe kuckt sie immer an. Kuß. Alter Mincio. Abends im Dunkel nach Würzburg. – Den 9ten Goethe mit klarem kalten Herbstwetter nach Weimar unter meinen frömmsten Wünschen.

Goethe, Tagebuch, 9. 10. – Von Boisserée geschieden.

Werneck. Munnerstadt. Mellrichstadt. Wagen umgelegt. Zu Fuß nach Meiningen. Schönster Tag.

Goethe an Rosette, 10. 10. – ... am 9ten, früh, gings an ein Scheiden, wo ich denn ganz eigentlich die Trennung fühlte, denn solange noch Boisserée um mich war, war es noch immer eine Fortsetzung des glücklichsten Zustands. Nicht ohne Rührung war der Abschied ...

Goethe, Tagebuch, 10. 10. – In Meiningen abgefahren halb eilfe. In Schmalkalden. Vorausgegangen. Der Wagen kam 5 Uhr am Berge an. Heller Mond. Beschwerlicher Weg, glückliche Fahrt. Mitternacht Gotha. Viel Russen. – Den 11ten Um 7 Uhr früh von Gotha ab. Nach Tische in Weimar. Ausgepackt und in Ordnung gebracht.

An Jakob Willemer u. Marianne, 26. 10. – Als der gute Sulpicius mich in Würzburg verließ und ich mich auf den weiten fränkischen Stoppelfeldern unter hasenjagenden Donischen Kosaken allein sah, hätte ich meine beschleunigte Rückreise gewiß bereut, wenn nicht die Notwendigkeit derselben mir vor Augen gewesen wäre, noch mehr aber die Gewißheit mich beruhigt hätte, daß ich den Freunden, so wie sie mir, immer gegenwärtig wäre ...

Marianne, Chiffernbrief, Mitte Oktober –

Immer dachte ich dein und immer
Blutete tief das Herz.

Ich habe keine Kraft als die,
Im Stillen ihn zu lieben,
Wenn ich ihn nicht umarmen kann,
Was wird wohl aus mir werden?

Wunderlichstes Buch der Bücher
Ist das Buch der Liebe;
Aufmerksam hab ich's gelesen:
Wenig Blätter Freuden,
Ganze Heften Leiden;
Einen Abschnitt macht die Trennung.
Wiedersehn! ein klein Kapitel,
Fragmentarisch. Bände Kummers
Mit Erklärungen verlängert,
Endlos, ohne Maß.
O Nisami! – doch am Ende
Hast den rechten Weg gefunden;
Unauflösliches wer löst es?
Liebende sich wieder findend.

d. 12. Jan. 1816
Divan, Buch der Liebe

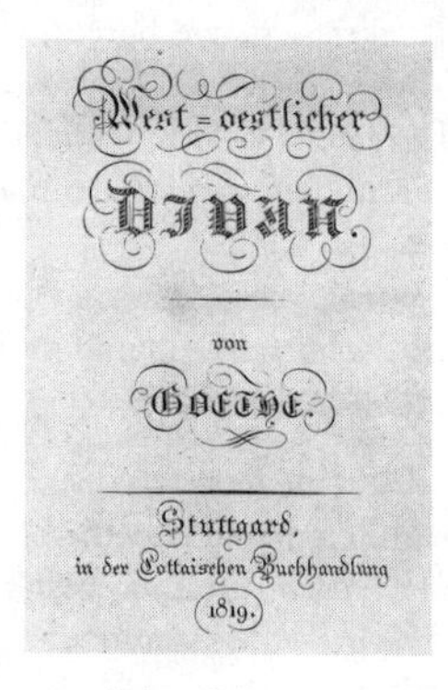
West-oestlicher Divan. von Goethe. Stuttgard, in der Cottaischen Buchhandlung 1819.

West-oestlicher Divan von Goethe.
Titelblatt der Erstausgabe, 1819

Goethe an Rosette und Marianne, 21. 12. 1815 – Nur Ein Wort für so viel gute Zeilen, Gedanken und Werke... Ich bin unglaublich gedrängt und büße schwer den gefährlichen Müßiggang abgeschiedner Tage.
Den 8. 4. 1816 Bis alles eingerichtet ist, was ich in Auftrag habe, so werden wir schon ziemlich ins Frühjahr hereingerückt seyn. Wenn nur der Sommerwind günstig in die Segel bläst! – Den 23ten Juli Am 20. July früh 7 Uhr aber fuhr ich mit Hofrat Meyer von Weimar ab, um 9 Uhr warf der Fuhrknecht höchst ungeschickt den Wagen um, die Achse brach, mein Begleiter wurde an der Stirn verletzt, ich blieb unversehrt. – Hierbey blieb nichts übrig, als nach Weimar zurückzukehren, wo wir denn gegen 1 Uhr anlangten. Die Störung des Vorhabens und die Verwundung des Freundes machen es ungewiß, ja unwahrscheinlich, daß ich die Reise von neuem antreten werde.
Marianne an Goethe, 1. 8. – Wie freudig eröffneten wir Ihren so lang entbehrten und sehnlich erharrten Brief! Seit drei Monaten zog jeder Tag mit einer schönen Hoffnung an uns vorüber, aber der Tag verging und der Freund blieb aus. Nun dieser unangenehme Vorfall!
Jakob Willemer, 12. 10. – Noch steht die zu Ihrem Empfang gerichtete Mühle geschmückt, aber die Kränze sind ein Bild unserer Hoffnungen geworden, sie welken, und der Freund hat keine Vorstellung von der Sehnsucht, womit wir seiner harren! – Den 23ten July 1817 Auch nach vollzogener Cur zu Carlsbad grünen noch die Bäume am Mayn und Rhein und strecken sich die Arme dem so lang vermißten Freund entgegen. Auf der Mühle sind zwei neue Öfen gesetzt, und damit von

Süden die Sonne eindringen könne, 150 Bäume abgehauen – wenn Goethe kömmt! – Anfang Oktober 1817
In der Stadt hat Madame die vordern Zimmer verlassen, und eine schöne Wohnung ist nicht vermietet worden – damit Sie dort als Gast absteigen mögen, oder sie als Glied der Familie zu Ihrem Eigentum erkießen. Meine gute Frau stünd Ihnen zur Seite und besorgte das Ökonomische – Nichte Rosette sähe nach, ob auch genug gesorgt wird, und ich! ich ließ Euch gewähren. – Kommt, Freund, und gönnt dem Vaterland die Ehre, die es so lang vermißt, damit es stolz das Haupt erhebe und sage: er gehört uns wieder.

Goethe kam nicht. Er wich aus. Konsequent überhörte er Bitten, Einladungen, Aufforderungen. Er goutierte zwar – und sagte das auch in hübschen Wendungen – die guten Gaben, mit denen Willemer seinen Offerten Nachdruck verlieh, blieb aber unerbittlich bei seinem Nein. – Durch die Jahre rollte in Richtung Weimar Kiste um Kiste mit Batterien hoch belobten Weins; erschienen, pünktlich mit der Saison, im »dauerhaften Schubkästchen und nicht in der Pappschachtel«, die begehrten Artischocken; es erschien der habhafte Schwartenmagen; es kamen Maronen, Quittenpaste, Brenten, Pfeffernüsse und nicht zu vergessen das Fäßchen mit dem allerköstlichsten Honig aus dem Veltlin oder nach »glücklicher Kelterung« in steinernen Flaschen »der angenehme Mostsenf«. – Verwöhnungen, Bereicherungen des Küchen-Etats, die Goethe mit der steten Versicherung seiner Treue, auch mit den Beteuerungen ungebrochener Sehnsucht nach dem Idyll am Ufer des Mains gleichsam honorierte. Doch sein Weg ging unbeirrt in andere Richtung.

1 Sonntag · Allerheiligen

Nach ewigen, ehrnen,
Großen Gesetzen
Müssen wir alle
Unseres Daseins
Kreise vollenden.

2 Montag · Allerseelen

Eine nachgesprochene Wahrheit verliert schon ihre Grazie, aber ein nachgesprochner Irrtum ist ganz ekelhaft.

3 Dienstag

Was dem Enkel so wie dem Ahn frommt,
Darüber hat man viel geträumet;
Aber worauf eben alles ankommt,
Das wird vom Lehrer gewöhnlich versäumet.

4 Mittwoch

Die widersprechen und streiten, sollten bedenken, daß nicht jede Sprache jedem verständlich sei.

5 Donnerstag

Der Mensch vernimmt nur, was ihm schmeichelt.

6 Freitag

Alles Bestreben, einen Gegenstand zu fassen, verwirrt sich mit der Entfernung vom Gegenstande und macht, wenn man zur Klarheit vorzudringen sucht, die Unzulänglichkeit der Erinnerungen fühlbar.

7 Samstag

Wenn einer schiffet und reiset,
Sammelt er nach und nach immer ein,
Was sich am Leben, mit mancher Pein,
Wieder ausschälet und weiset.

8 Sonntag

Der Sinn ergreift und denkt sich was,
Die Feder eilt hiernach zu walten:
Ein flüchtig Bild, es ist gefaßt,
Allein es läßt sich nicht erhalten.

9 Montag

Toleranz sollte eigentlich nur eine vorübergehende Gesinnung sein, sie muß zur Anerkennung führen. Dulden heißt beleidigen.

10 Dienstag

Es gibt Menschen, die auf die Mängel ihrer Freunde sinnen; dabei ist nichts zu gewinnen. Ich habe immer auf die Verdienste meiner Widersacher acht gehabt und davon Vorteil gezogen.

11 Mittwoch

Vernünftiges und Unvernünftiges haben gleichen Widerspruch zu erleiden.

12 Donnerstag

Egoistische Kleinstädterei, die sich Zentrum deucht!

13 Freitag

Mit wahrhaft Gleichgesinnten kann man sich auf die Länge nicht entzwein, man findet sich immer wieder zusammen; mit Widergesinnten versucht man umsonst, Einigkeit zu halten, es bricht immer wieder auseinander.

14 Samstag

Die Axt erklingt, da blinkt schon jedes Beil;
Die Eiche fällt, und jeder holzt sein Teil.

15 Sonntag · Volkstrauertag

Selbst für den Toten hofft der Lebende. Willst du verzweifeln,
Da der Lebendige noch das Licht der Sonne genießet?

16 Montag

Jede große Idee, die als ein Evangelium in die Welt tritt, wird dem stockenden pedantischen Volke ein Ärgernis und einem Viel-, aber Leichtgebildeten eine Torheit.

17 Dienstag

Jeder Weg zum rechten Zwecke
Ist auch recht in jeder Strecke.

18 Mittwoch. Buß- und Bettag

Vom Verdienste fordert man Bescheidenheit; aber diejenigen, die unbescheiden das Verdienst schmälern, werden mit Behagen angehört.

19 Donnerstag

Jede Seele wird in dem Gange der Tage zu dem, was ihr bevorsteht, mehr oder weniger zubereitet, so daß ihr das Außerordentliche, wenn es vorkommt, besonders sobald die erste Überraschung vorüber ist, erträglich erscheint.

20 Freitag

Die Schwierigkeiten wachsen, je näher man dem Ziele kommt.

21 Samstag

Erkenne dich! – Was soll das heißen?
Es heißt: Sei nur! und sei auch nicht!
Es ist eben ein Spruch der lieben Weisen,
Der sich in der Kürze widerspricht.

22 Totensonntag

»Und so bleiben wir wegen der Zukunft unbekümmert. In unseres Vaters Reiche sind viel Provinzen, und da er uns hier zu Lande ein so fröhliches Ansiedeln bereitete, so wird drüben gewiß auch für uns gesorgt sein ...«

23 Montag

Wenn man von Dingen spricht, die niemand begreift, so ist's einerlei, was für Worte man braucht.

24 Dienstag

Das glücklichste Wort, es wird verhöhnt,
Wenn der Hörer ein Schiefohr ist.

25 Mittwoch

Das Werdende entzieht sich der unbefangenen Wahrnehmung; nur das Gewordene fällt in die verläßlichere Anschauung.

26 Donnerstag

Die Gegenwart einer jeden Würde weist den andern auf sich selbst zurück.

27 Freitag

Die Natur hat manches Unbequeme zwischen ihre schönsten Gaben ausgestreut.

28 Samstag

»Und wenn was umzutun wäre,
Das würde wohl auch getan;
Ich frage dich bei Wort und Ehre:
Wo fangen wir's an?«

29 Erster Advent

Was ich verstehe, versteh ich mir, was mir gelingt, gelingt mir für andere und niemand denkt, daß es ihm auf diesem Wege gleichfalls gelingen könne.

30 Montag

»Immer denk ich: mein Wunsch ist erreicht,
Und gleich gehts wieder anders her!«
Zerstückle das Leben, du machst dirs leicht;
Vereinige es, und du machst dirs schwer.

Jakob Willemer an Goethe, 2.2.1818 – Ihrem Scharfblick, teurer Freund, wird es nicht entgehen, daß unsere Marianne kränkelt, daß sie leidet, und es nicht mehr ist, wie es war! Die frische Blüte unbefangner Jugend ist entflohen und hat ein verwundetes Herz zurückgelassen! Das alles kann sich wieder geben (denn ich besitze Mignons volles Vertrauen), wenn nur fortgehendes Wechseln, zwischen Freud und Leid, die Reizbarkeit der Nerven nicht auf einen Grad gesteigert hätten, der furchtbar ist. –
Warum mußten wir so lang getrennt sein, es wär sonst nicht so weit gekommen. Doch ich weiß nicht, ob den Meister das alles noch interessiert. Die Götter in ihrem Grimm werden am End der Sterblichen, mit ihrem Leid und ihrer Freud, überdrüssig. Zwischen uns soll es verhoffentlich nicht dahin kommen – und so send ich Ihnen Mariannens Brief [verloren], wie er ist. Ich füge hinzu, daß dieser Winter sich besser anläßt. Und somit Gott befohlen, ich ehre Sie, lieben Sie mich.
Boisserée an Goethe, 30.6. – Die kleine Willemer und Frau Städel besuchten uns vor drei Wochen auf der Durchreise nach Baden-Baden. Bilder wurden betrachtet, das Schloß bestiegen und bei allem wurde Ihrer und jener heiteren Tage des Jahres 1815 gedacht. Dann kam aber Willemer vorgestern in sehr trauriger Stimmung, ihnen nachreisend, er hat seinen Sohn in einem widerwärtigen Zweikampf verloren.
Willemer an Goethes Sohn, 26.7. – Sie werden von dem traurigen Geschick gehört haben, was mich vor vier Wochen betroffen ... Lassen Sie mich doch wissen, was der Vater macht. Ob er wohl ist und zu uns auf die

Marianne von Willemer.
Kreidezeichnung von Anton Radl, 1819

Mühle kommt – er sollte wohl die alten Zimmer beziehen, die alten Freunde sehen – er soll uns nicht klagen hören, nicht weinen sehen. Reden Sie ihm zu, an den Mayn zu reisen.

Willemer an Goethe, 30. 10. 1818 – Teuerster Freund, welch ein feindlicher Genius (ob ein Dämon der Gleichgültigkeit oder der Abneigung) ist Ursach, daß von Ihnen kein freundliches Wort mehr zu uns gelangt! ja daß August mir auf meine Bitte keine Antwort gab? Und doch bedarf das Haus, das Sie kannten und liebten, eines freundlichen Zuspruchs. – Marianne kränkelt, hat keine Stimme, ich litt 3 Wochen an schrecklichen Gichtschmerzen – der Sohn liegt im Grab ... aber eben darum, daß so viele Fäden reißen, sucht man die alten zu erhalten, und will sich nicht gestehen, daß sie vielleicht schon durchschnitten sind. – Lassen Sie mich und Marianne des Gegenteils gewiß werden.

Endlich, nach fast einem Jahr des Schweigens, in den ersten Novembertagen, reagiert Goethe. Bemüht sucht er nach Gründen der Entschuldigung, zählt die Hindernisse auf, die die Antwort verzögerten, spricht von dem Andrang der Geschäfte, legt zwei erste Druckbogen des Divans bei, den Freunden zum Beweis, daß auch er »schon geraume Zeit um die Mühle beschäftigt war«. – Marianne, kaum getröstet von dieser Zusicherung, die nicht ihre Nähe, die lediglich »Literatur« meinte, schreibt dem Freund dagegen Ende Dezember, daß sie im Sommer, in Heidelberg, »jene Lettern, fein gezogen, an des lustgen Brunnens Rand« nicht mehr gefunden habe. »Die Hand der Zeit hat sie verwischt«, fügt sie resigniert hinzu… »Ihr war das Unglück widerfahren«, sagt Heinrich Meyer (ein genauer Kenner der Schwierigkeiten des schöpferischen Prozesses), Fiktion und Wirklichkeit zu verwechseln. Sie sei, fährt der Gelehrte fort, der Versuchung erlegen, Dichterphantasie beim Wort zu nehmen, den Traum in Realität umsetzen zu wollen, des Dichters Leben für ihr Leben zu halten. »Aber der Dichter konnte sich nicht binden. Er wußte, daß für ihn Entsagung unabdingbar war, und er sah sich im Innersten gezwungen, diese Entsagung auch andern aufzuerlegen«. – Für Marianne ein Sturz in Enttäuschung und Depression. Niemand konnte ihr helfen. Auch Goethe nicht. In der Ewigkeit des Gedichts hatte er Suleika zum Stern der Sterne erhoben. Der Eintritt in seine reale Existenz blieb Suleika, diesem Geschöpf seiner dichterischen Imagination, verwehrt.

Ginkgo biloba

Dieses Baums Blatt, der von Osten
Meinem Garten anvertraut,
Giebt geheimen Sinn zu kosten,
Wie's den Wissenden erbaut.

Ist es Ein lebendig Wesen,
Das sich in sich selbst getrennt,
Sind es zwey die sich erlesen,
Daß man sie als Eines kennt.

Solche Frage zu erwiedern
Fand ich wohl den rechten Sinn,
Fühlst du nicht an meinen Liedern
Daß ich Eins und doppelt bin.

d. 15. S. 1815

»Goethe hat Marianne«, vermerkt Boisserée am 15. 9. 1815 in seinem Tagebuch, »ein Blatt des Ginkho biloba als Sinnbild der Freundschaft aus der Stadt in die Gerbermühle geschickt. – Man weiß nicht ob es eins, das sich in 2 teilt, oder zwei die sich in eins verbinden, ist.«

Goethe an Marianne, 26.3.1819 – Den schönsten Augenblick der Täuschung erlebt ich. Der verehrte Freund [Willemer, auf dem Weg nach Berlin] tritt ins Zimmer, die geliebte Freundin hofft ich im Hinterhalt. Da fühlt ich recht, daß ich ihr noch immer angehöre. Sagen Sie mir bald ein Wort. Hierbei wieder Fragmente; das Ganze [die Erstausgabe des Divan] folgt bald als Zeugnis fortwährender Unterhaltung mit der Entfernten. Und so fort für ewig G.
Marianne an Goethe, Baden, 19.7. – Daß ich so lange gezögert für Ihre herzlichen Worte zu danken, ist kaum zu entschuldigen... Ich war überrascht, gerührt, ich weinte bei den Erinnerungen einer glücklichen Vergangenheit; es kam mir fast alles wie ein Traum vor, den ich mir in der Gegenwart wiederholte, um ihn nicht zu vergessen. Daß Willemer Sie gesehen, gesprochen hatte, vermehrte das Unbegreifliche meines Zustandes, ja selbst was er mir von Ihnen schrieb und Ihr eigener Brief vollendete meine Verwirrung. Ich konnte oder ich wußte nicht zu antworten ... Frau von Heygendorf hat im vorigen Sommer einige Wochen in dem Hause zugebracht, das ich hier bewohne. Sie kann Ihnen sagen, wie nahe dem Himmel in jedem Sinne meine freundliche Wohnung ist. Und wie viele schöne Mädchen gibt es nicht hier; Hudhud läuft in einemfort über den Weg, auch hohe Herrschaften genug, wenn man will, und hohe Berge und Täler, und – doch Sie können ja nicht kommen. Ich würde mich sehr freuen, wenn ich noch einige Zeilen in Baden erhielt? freilich darf ich es kaum hoffen, denn ich habe es nicht verdient...

Goethe an Marianne, 26.7.1819 – Nein, allerliebste Marianne, ein Wort von mir sollst du in Baden-Baden nicht vermissen, da du deine lieben Lippen wieder walten läßt und ein unerfreuliches Stillschweigen brechen magst. Soll ich wiederholen, daß ich dich von der Gegenwart des Freundes unzertrennlich hielt, und daß bei seinem Anblick alles in mir rege ward, was er uns so gern und edel gönnt. – Nun da du sagst, und so lieblich, daß du mein gedenkst und gern gedenken magst: so höre doppelt und dreifach die Versicherung, daß ich jedes deiner Gefühle herzlich und unablässig erwidre. Möge dich dies zur guten Stunde treffen, und dich zu einem recht langen Kommentar über diesen kurzen Text veranlassen. Wäre ich Hudhud, ich liefe dir nicht über den Weg, sondern schnurstracks auf dich zu. Nicht als Boten, um mein selbst willen müßtest du mich freundlich aufnehmen. Zum Schluß den frommen, liebevollen Wunsch Eja! wären wir da!

Hudhud sprach: mit Einem Blicke
Hat sie alles mir vertraut
Und ich bin von eurem Glücke
Immer wie ichs war erbaut.
Liebt ihr doch! – In Trennungs-Nächten
Seht wie sichs in Sternen schreibt:
Daß gesellt zu ewgen Mächten
Glanzreich Eure Liebe bleibt.

Anfang September 1819

Goethe an Jakob Willemer, 22. 8. 1819 – Komplette Exemplare vom Divan erhalt ich so spät, daß ich sie nicht einmal kann einbinden lassen. Der in Kupfer gestochene Titel liegt inwendig; er soll künftig bunt und das Ganze besser im orientalischen Anstand erscheinen. – Möge indessen das Vergangene in die Gegenwart und der Freund in die nächste Nähe treten.

Marianne an Goethe, 28. 8. – Das Buch der Bücher soll ja schon sichtbar geworden sein [Goethes Sendung war noch nicht eingetroffen] und zwar in vollendeter Gestalt. Also bald, recht bald wird sich uns der Osten mit allem Glanze des Blüten- und Farbenschmucks aufschließen; ich kann es kaum erwarten! Willemer hat mich doch wohl ein wenig zu krank geschildert, ich bin wieder gesund und lebe stets der Hoffnung, Sie zu sehen...

Oktober 1819 – Nun habe ich den Divan wieder und immer wieder gelesen. Ich kann das Gefühl weder beschreiben noch aus mir selbst erklären, das mich bei jedem verwandten Ton ergriff. Wenn Ihnen mein Wesen und mein Inneres so klar geworden ist, als ich hoffe und wünsche, ja sogar gewiß sein darf, denn mein Herz lag offen vor Ihren Blicken, so bedarf es keiner weitern ohnehin höchst mangelhaften Beschreibung. Sie fühlen und wissen genau, was in mir vorging, ich war mir selbst ein Rätsel: zugleich demütig und stolz, beschämt und entzückt, schien mir die Aufnahme meiner Gedichte in den Divan wie ein beseligender Traum, in dem man sein Bild verschönert, ja veredelt wieder erkennt, und sich alles gerne gefallen läßt, was man in

(Fortsetzung S. 136)

1 Dienstag

So manches, was auf Zutrauen und Hoffnung gesät wird, bringt die besten Früchte.

2 Mittwoch

Und zwei zusammen sehen Fluß und Bahn
Und Berg und Busch sogleich ganz anders an.

3 Donnerstag

Ich als Dichter habe ein ganz anderes Interesse als der Kritiker. Mein Beruf ist zusammenfügen, verbinden, ungleichartige Teile in ein Ganzes vereinigen; des Kritikers Beruf ist es, aufzulösen, trennen, das gleichartigste Ganze zu zerlegen.

4 Freitag

Wie sollen wir denn da gesunden?
Haben weder Außen noch Innen gefunden.

5 Samstag

Man kann nicht immer zusammenstehn,
Am wenigsten mit großen Haufen.
Seine Freunde, die läßt man gehn,
Die Menge läßt man laufen.

6 Zweiter Advent · Sankt Nikolaus

Auf Glaube, Liebe, Hoffnung ruht des gottbegünstigten Menschen Religion, Kunst und Wissenschaft; diese nähren und befriedigen das Bedürfnis anzubeten, hervorzubringen, zu schauen!

7 Montag

Alle Verhältnisse sind unzerstörlich, die das Schicksal beschlossen hat.

8 Dienstag

Wer allgemein sein will, wird nichts, die Einschränkung ist dem Künstler so notwendig als jedem, der aus sich was Bedeutendes bilden will.

9 Mittwoch

Das Drüben kann mich wenig kümmern;
Schlägst du erst diese Welt zu Trümmern,
Die andre mag danach entstehn.

10 Donnerstag

Das Gewissen ist demütig und gefällt sich sogar in der Beschämung; der Verstand aber ist hochmütig, und ein abgenötigter Widerruf bringt ihn in Verzweiflung.

11 Freitag

Ich bin mit allen Menschen einig, die mich zunächst angehen, und von den übrigen lass' ich mir nichts mehr gefallen, – da ist die Sache aus.

12 Samstag

Der Mensch verlange nicht, Gott gleich zu sein, aber er strebe, sich als Mensch zu vollenden.

13 Dritter Advent

Es gibt nur zwei wahre Religionen, die eine, die das Heilige, das in und um uns wohnt, ganz formlos, die andere, die es in der schönsten Form anerkennt und anbetet. Alles, was dazwischen liegt, ist Götzendienst.

14 Montag

Gegner glauben, uns zu widerlegen, wenn sie ihre Meinung wiederholen und auf die unsrige nicht achten.

15 Dienstag

Viele Gedanken heben sich aus der allgemeinen Kultur hervor, wie die Blüten aus den grünen Zweigen. Zur Rosenzeit sieht man Rosen überall blühen.

16 Mittwoch

Der bei seinen Arbeiten nicht schon ganz seinen Lohn dahin hat, eh das Werk veröffentlicht erscheint, der ist übel dran.

17 Donnerstag

Kunst und Wissenschaft sind Worte, die man so oft gebraucht und deren genauer Unterschied selten verstanden wird; man gebraucht oft eins für das andere.

18 Freitag

Nichts ist höher zu schätzen als der Wert des Tages.

19 Samstag

Dich stört nicht im Innern,
Zu lebendiger Zeit,
Unnützes Erinnern
Und vergeblicher Streit.

20 Vierter Advent

So wie der Weihrauch einer Kohle Leben erfrischt, so erfrischt das Gebet die Hoffnungen des Herzens.

21 Montag

Die größten Schwierigkeiten liegen da, wo wir sie nicht suchen.

22 Dienstag · Winteranfang

Genau besehen haben wir uns noch alle Tage zu reformieren.

23 Mittwoch

Es ist besser, das geringste Ding von der Welt zu tun, als eine halbe Stunde für gering halten.

24 Heiligabend

Und so geht mit guten Kindern
Sel'ger Engel gern zu Rat,
Böses Wollen zu verhindern,
Zu befördern schöne Tat.

25 Weihnachten

Bäume leuchtend, Bäume blendend,
Überall das Süße spendend,
In dem Glanze sich bewegend,
Alt und junges Herz erregend –
Solch ein Fest ist uns bescheret...

26 Stephanstag

Es kommt alles auf die Gesinnungen an: wo diese sind, treten auch die Gedanken hervor, und wo die Gesinnungen sind, sind auch die Gedanken.

27 Sonntag

Glaubst dich zu kennen, wirst Gott nicht erkennen,
Auch wohl das Schlechte göttlich nennen.

28 Montag

Über Berg und Tal
Irrtum über Irrtum allzumal,
Kommen wir wieder ins Freie!
Doch da ists gar zu weit und breit;
Nun suchen wir in kurzer Zeit
Irrgang und Berg aufs neue.

29 Dienstag

Man geht nie weiter, als wenn man nicht weiß, wohin man geht.

30 Mittwoch

Draußen zu wenig oder zu viel,
Zu Hause nur ist Maß und Ziel.

31 Silvester

Jeder Denkende, der seinen Kalender ansieht, nach seiner Uhr blickt, wird sich erinnern, welchen Männern er diese Wohltaten schuldig ist. Wenn man diese aber auch auf ehrfurchtsvolle Weise in Zeit und Raum gewähren läßt, so werden selbst sie erkennen, daß wir etwas gewahr werden, was weit darüber hinausgeht, welches allen angehört und ohne welche sie selbst weder tun noch wirken könnten: Idee und Liebe.

diesem erhöhten Zustande Liebens- und Lobenswertes spricht und tut; ja sogar die unverkennbare Mitwirkung eines mächtigen höheren Wesens [Goethe], insofern sie uns Vorzüge beilegt, die wir vielleicht gar nicht besitzen, und andere entdeckt, die wir nicht zu besitzen glaubten, ist in seiner Ursache so beglückend, daß man nichts tun kann, als es für eine Gabe des Himmels anzunehmen, wenn das Leben solche Silberblicke hat... Diese schönen Tage haben wir fast nur auf der Mühle verbracht, obschon wir in der Stadt wohnen. Der Hain, die Terrassen färben sich wie damals, und es wandeln Gestalten unter den Bäumen, die dem Garten eine wundersame Bedeutung geben.

Goethe an Marianne mit dem gebundenen Exemplar des Divan, vor dem 11. 11. 1819

Liebchen ach! im starren Bande
Zwängen sich die freien Lieder,
Die im reinen Himmelslande
Munter flogen hin und wieder.
Allem ist die Zeit verderblich,
Sie erhalten sich allein.
Jede Zeile soll unsterblich,
Ewig, wie die Liebe sein.

1815 *1819*

»ZU DEN GEWINSTEN«

Hermann Grimm an Freund Hemsen, 5. 10. 1850 – schrieb ich dir schon meine bekanntschaft die ich mit der alten frau von Willemer eröffnet habe, mit der Göthe im genauesten verkehr stand und die mir unschätzbare reliquien seiner hand zeigte, ja sogar zwei briefe von ihm schenkte; das einzige das man mir in Charon's nachen mitgeben soll. ich saß einen langen abend bei ihr und sie erzählte so geistreich, so unerschöpflich. sobald ich wieder ganz gesund bin besuche ich sie wieder, die mir soviel freundlichkeit erwiesen hat. sie wohnt am Mayn mit der aussicht auf brücke stadt und bewaldetem umkreis von gebirge, in einer stube, wo der geist der ordnung dem der behaglichkeit seine fittige geliehen hat. ich rechne das bei ihr erlebte zu den gewinsten meines lebens.«

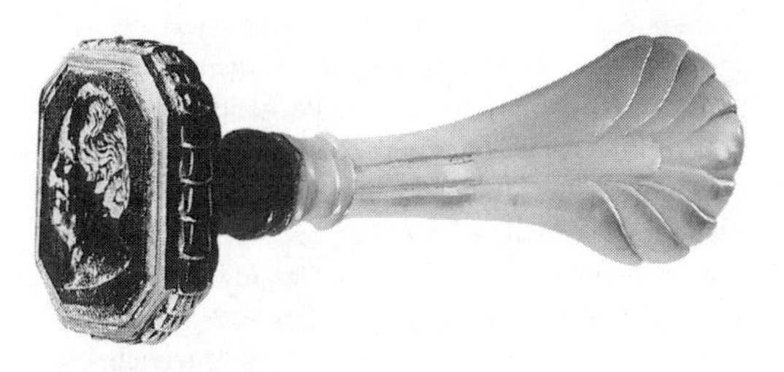

Petschaft mit Goethe-Porträt aus Marianne von Willemers Besitz

Die Gerbermühle, das Haus zum roten Männchen waren nach Willemers Tod im Oktober 1838 in fremde Hände übergegangen. Marianne lebte späterhin allein in der alten Mainzer Gasse. Durch ein hohes Gitter trat man in einen hofartigen Gang zwischen steilaufstehenden Häusern, gelangte durch eine etwas versteckte Haustür sofort auf die braune, blankgebohnte Treppe und klomm zwei Stiegen hinauf. Hier eine Fenstertür mit schneeweißen feingefältelten Vorhängen dahinter, in der Ecke des Vorplatzes lag eine Katze von Papiermaché in natürlicher Größe. Sie schien zum Haus zu gehören und jedermann kannte sie, weil jedermann sie so lange ansehen mußte, bis auf Anziehen der Glocke die Magd erschien. Nun gelangte man in die beiden allerliebsten Zimmer, wo durch lichte Fenster der Blick auf den Main und Sachsenhausen und das volle weite Land dahinter ging.
Das erste Zimmer schien größer als es war, weil der altertümliche, sauber glänzende Hausrat Stück für Stück so durchaus an seiner Stelle stand, daß das Gefühl von Behaglichkeit keine Kritik, wie eng und niedrig dieser Raum doch sei, aufkommen ließ. Da stand das äußerst schmale Klavier, fast nur ein Spinett zu nennen, an dem von Zeit zu Zeit junge Mädchen sangen, denen das Großmütterchen – diesen Namen führte Marianne überall – freiwilligen Musikunterricht gab. Sie hatte selbst niemals Kinder, war aber von der ausgebreiteten Familie des verstorbenen Geheimrats umgeben.
Da erblickte man, offenbar und doch geheimnisvoll und unnahbar, in einem expreß dafür gearbeiteten

Kasten mit gläsernen Wänden, den Schatz der Goetheschen Briefe, alle auseinandergefaltet und lose ein Blatt auf das andere gelegt...

Im anderen Zimmer, der eigentlichen Wohnstube, stand am Fenster das kleine Kontörchen, daneben das kleine Kanapee, mit kariertem Überzug, der an den Beinen mit sich kreuzenden Bändern angebunden war, eben groß genug für zwei Menschen nebeneinander. In der Tiefe die breite Tür zum Alkoven und daneben, das einzige Große im Zimmer, die Uhr mit den Messingbeschlägen, die alle Sonnabend ein uralter Uhrmacher aufzuziehen kam. Die Wände aber waren bedeckt mit Zeichnungen, zumeist von Steinle, alten Radierungen, Aussichten aus allerlei Fenstern von Dilettanten gezeichnet oder gemalt. – Hier nun, im Eck des Kanapees habe ich oft bei ihr gesessen, während sie vor dem aufgeklappten Kontörchen saß und mir erzählte oder mich erzählen ließ.

Sie war eine Frau, um die bedeutende Männer sich bemühten, die die Strömungen des deutschen Bildungsganges verfolgte! alles gelesen hatte und immer noch die neuen Ereignisse und Menschen frisch aufnahm und richtig taxierte, und die dabei so unscheinbar einfach mit ihren Äußerungen daherkam, als habe sich nie ein Mensch um das viel gekümmert, was sie sagen würde.

Ihrer ganzen Erscheinung war ein Element von Grazie und Zierlichkeit beigemischt, das überall sich geltend machte. Wie sie stand und ging, sich bewegte, sich aussprach: immer dieselbe Präzision und Festigkeit.

Aus: Hermann Grimm. Goethe und Suleika

Marianne am Teetisch. Bleistiftzeichnung von Edward von Steinle, 1841

Marianne an Hermann Grimm, 4. 8. 1852 – Ich kann es dir kaum glauben, daß meine Briefe dir so notwendig sind: ich weiß nichts und kann dir wenig bieten. Einmal in meinem Leben war ich mir bewußt, etwas Hohes zu fühlen, etwas Liebliches und Inniges sagen zu können, aber die Zeit hat alles, nicht sowohl zerstört, als verwischt, und was von Erinnerung mir geblieben, ist ein ahnungsvolles Erkennen der Wahrheit und der Schönheit, wo ich sie zu finden glaube...

Goethe an Marianne, 10.2.1832 – Indem ich die mir gegönnte Zeit ernstlich anwende, die gränzenlosen Papiere, die sich um mich versammelt haben, durchzusehen, um sie zu sichten und darüber zu bestimmen, so leuchten mir besonders gewisse Blätter entgegen, die auf die schönsten Tage meines Lebens hindeuten; dergleichen sind manche von jeher abgesondert, nunmehr aber eingepackt und versiegelt.
Ein solches Paquet liegt nun mit Ihrer Adresse vor mir, und ich möcht' es Ihnen gleich jetzt, allen Zufälligkeiten vorzubeugen, zusenden; nur würde ich mir das einzige Versprechen ausbitten, daß Sie es uneröffnet bey sich, bis zu unbestimmter Stunde, liegen lassen. Dergleichen Blätter geben uns das frohe Gefühl, daß wir gelebt haben; dieß sind die schönsten Documente, auf denen man ruhen darf.

Vor die Augen meiner Lieben,
Zu den Fingern die's geschrieben –
Einst, mit heißestem Verlangen
So erwartet, wie empfangen –
Zu der Brust der sie entquollen
Diese Blätter wandern sollen;
Immer liebevoll bereit,
Zeugen allerschönster Zeit.

Weimar d. 3. März 1831 *J. W. v. Goethe*

Der Abstand ist groß, der Aufstieg steil. – Zu Beginn ein Persönchen, gerade vierzehn, ein Figürchen, zum Entzücken zwar, rundlich und flink, mit großen Augen und dunklem Lockenschopf, dennoch nichts als ein kleines Tanzmädchen aus Wien, auf die Frankfurter Bühne verschlagen. Sehr bald jedoch von Jakob Willemer, dem Senator und Geheimrath, entdeckt, aufgenommen, integriert in die gepflegte Bürgerlichkeit seines Hauses: durch Jahre Tochter, später wohl Geliebte, schließlich, im September 1814, »in forma verheiratet«. – In den gleichen Herbsttagen erste Begegnungen mit Goethe, die sich im Jahr darauf heiter-festlich wiederholen. Vor Marianne, jetzt eine Frau, lockend und verlockend, eine Frau von Geschmack, von Takt und im Besitz anmutiger, nahezu professionell durchgebildeter Talente, öffnet sich, faszinierend und sie beseligend, die Dimension der Liebe, der großen Dichtung. – »Freude des Daseins ist groß / Größer die Freud am Dasein!« – Marianne *ist* nun Suleika, übernimmt die Rolle dieses Geschöpfs dichterischer Imagination. Begabt zu einem Dialog von höchster Poesie, in dem alles Verhüllung, Spiegelung, Steigerung ist, wirft sie Hatem, dem Geliebten, ihre Leidenschaft zu, »als wärs ein Ball«. – Zahlt aber auch, im Stich gelassen von ihrem Dichter, mit Jahren bitteren Leids und bitterer Entbehrung, dafür den Preis, daß sie einen Augenblick der Versuchung erlag, Poesie und Realität gleichsetzen zu wollen. – Eine Bitternis, die erst schwand, als sie ihre Lieder zwischen Goethes Versen wieder fand, und mit ihnen das, was sie gelitten und was sie beglückte, aufgehoben in der Ewigkeit des dichterischen Worts.

QUELLENNACHWEIS

Die Quellen der Texte dieses Almanachs werden nach der Goethe-Gedenkausgabe der Werke, Briefe und Gespräche mit Band und Seitenzahl zitiert. Im Artemis Verlag.

Seite 5: 23,49; 9,612; 1,438 **Seite 6:** 18,331; 7,58; 4,130; 22,330; 13,1065; 3,345; 9,532 **Seite 7:** 1,417; 22,458; 3,334; 21,73; 2,421; 6,215; 19,581 **Seite 8:** 11,148; 7,220; 1,437; 17,721; 9,542; 9,499; 1,637 **Seite 9:** 1,698; 11,403; 17,743; 13,410; 1,657; 18,567; 19,682 **Seite 17:** 1,636; 8,302; 2,141; 9,503; 7,527; 18,847; 9,513 **Seite 18:** Tb, 104; 4,135; 2,404; 10,265; 19,568; 9,619; 2,188 **Seite 19:** 1,611; 24,312; 15,897; 1,137; 9,550; 9,616; 1,645 **Seite 20:** 2,486; 21,193; 10,719; 3,101; 5,515; 23,373; 16,922 **Seite 29:** 1,636; 18,146; 14,884; 8,70; 12,358; 21,766; 9,519 **Seite 30:** 6,627; 19,361; 20,171; 9,549; 21,920; 9,617; 6,222 **Seite 31:** 1,418; 9,557; 24,594; 24,298; 7,87; 1,635; 9,147 **Seite 32:** 7,90; 3,136; 4,842; 1,640; 18,370; 9,544; 2,188 **Seite 33:** 3,199; 21,963; 1,646 **Seite 41:** 1,598; 22,561; 21,891; 1,455 **Seite 42:** 3,650; 8,513; 13,217; 10,514; 10,516; 9,160; 3,290 **Seite 43:** 5,152; 9,607; 5,599; 9,650; 8,129; 9,606; 3,730 **Seite 44:** 1,406; 9,520; 1,439; 22,48; 9,611; 9,646; 1,436 **Seite 45:** 1,438; 21,739; 9,608; 8,419; 1,607 **Seite 53:** 1,598; 9,608 **Seite 54:** 1,608; 6,1119; 9,610; 9,611; 2,186; , 7,626; , 1,637 **Seite 55:** 1,57; 23,525; 1,439; 4,562; 4,897; 22,592; 1,22 **Seite 56:** 5,546; 21,133; 9,611; 6,870; 9,609; 9,513; 1,437 **Seite 57:** 2,390; 9,611; 9,504; 9,611; 9,611; 23,415; 1,648 **Seite 58:** 3,9 **Seite 65:** 1,410; 22,643; 24,246; 7,526; 5,203; 1,409 **Seite 66:** 4,205; 21,966; 1,662; 6,265; 23,370; 9,580; 1,607 **Seite 67:** 1,410; 23,420; 4,266; 18,464; 19,358; 8,504; 2,397 **Seite 68:** 1,224; 17,627; 9,503; 9,609; 9,540; 4,229; 3,324 **Seite 69:** 20,906; 1,637; 3,322 **Seite 75:** 1,437; 1,123; 2,386; 1,435 **Seite 76:** 9,610; 9,658; 1,421; 9,613; 9,613; 9,541; 16,362 **Seite 77:** 1,435; 9,512; 1,690; 1,258; 9,577; 22,731; 1,613 **Seite 78:** 2,377; 1,435; 6,358; 9,613; 1,435; 9,161; 1,434 **Seite 79:** 1,418; 8,494; 13,431; 8,494; 1,654; 6,48 **Seite 85:** 1,645 **Seite 86:** 1,434; 9,613; 18,83; 1,435; 1,434; 2,402; 6,372 **Seite 87:** 1,605; 9,613; 9,554; 9,613; 24,689; 22,567; 1,604 **Seite 88:** 9,612; 9,612; 8,617; 1,622; 1,434; 1,605; 24,164 **Seite 89:** 1,434; 9,612; 2,381; 9,612; 9,612; 16,249; 1,635 **Seite 90:** 9,558; 2,378 **Seite 95:** 2,390; 1,435; 7,39; 8,162; 7,477 **Seite 96:** 1,428; 9,612; 9,23f; 8,503; 7,108; 8,503; 2,378 **Seite 97:** 1,604; 19,166; 3,85; 1,415; 9,577; 9,611; 1,604 **Seite 98:** 9,325; 9,612; 1,435; 3,387; 8,878; 9,612; 1,604 **Seite 99:** 1,434; 6,613; 1,631; 3,154 **Seite 107:** 11,178; 21,773; 3,385 **Seite 108:** 3,372; 22,543; 5,160; 7,604; 9,512; 2,119; 1,313 **Seite 109:** 1,434; 15,235; 9,612; 17,751; 9,613; 8,503; 3,331 **Seite 110:** 1,532; 15,1044; 1,609; 9,615; 19,657; 9,614; 1,629 **Seite 111:** 1,617; 9,614; 9,615; 7,528; 9,614; 9,615; 4,132 **Seite 119:** 1,325; 9,615; 1,439; 9,615; 5,594; 23,834; 1,426 **Seite 120:** 1,629; 9,614; 9,615; 9,615; 9,614; 9,615; 1,604 **Seite 121:** 3,256; 9,607; 2,389; 9,614; 8,616; 9,176; 1,439 **Seite 122:** 21,534; 4,129; 3,316; 23,409; 10,255; 12,304; 1,623 **Seite 123:** 8,286; 1,434 **Seite 131:** 21,354; 1,548; 22,229; 1,648; 1,430 **Seite 132:** 21,329; 9,132; 13,53; 5,193; 9,658; 9,615; 13,245 **Seite 133:** 8,502; 9,615; 8,519; 19,366; 8,515; 2,406 **Seite 134:** 8,502; 8,517; 8,502; 8,514; 9,456; 1,674; 8,519 **Seite 135:** 1,435; 1,609; 9,617; 1,433; 8,508

INHALT